D1634608

Marx et la poupée

MARYAM MADJIDI

Marx et la poupée

———

ROMAN

Pour Abbâs

PREMIÈRE NAISSANCE

« La patrie n'est qu'un campement
dans le désert. »

Proverbe tibétain

« La vie n'est pas une plaisanterie,
Tu la prendras au sérieux,
Mais au sérieux à tel point,
Que les mains liées, par exemple, dos au mur,
Ou dans un laboratoire en blouse blanche,
avec d'énormes lunettes,
Tu mourras pour que vivent les hommes,
Les hommes
dont tu n'auras même pas vu le visage.
Et tu mourras tout en sachant
que rien n'est plus beau,
que rien n'est plus vrai
Que la vie. »

Nâzim HIKMET

La pierre

Un homme est assis, seul, dans une cellule.
Il tient dans une main une pierre, dans l'autre
une aiguille à coudre.
Il creuse la pierre avec la pointe de l'aiguille.
Il grave un nom.

Chaque jour, il taille, il sculpte ce nom dans la
pierre. Ça lui évite de perdre la raison dans sa
prison.
Ce nom, c'est Maryam. Elle vient de naître et
pour tenter de combler son absence auprès d'elle,
il lui fabrique un cadeau qu'il espère lui donner
un jour.
Il a trouvé cette pierre dans la cour de la prison
et en cachette, il a réussi à dérober une petite
aiguille à coudre.
Une manière de dire qu'il pense à elle, à ce bébé
qui n'a que quelques jours et la vie devant soi.

Il était une fois le ventre
de la mère

Une fille pousse dans le ventre d'une femme.

— Non, tu n'iras pas manifester, t'es une femme et c'est dangereux.

Son frère aîné vient de lui flanquer une grosse gifle. Elle ne dit rien mais elle plante son regard noir de femme obstinée dans ses yeux et elle part lever fièrement le poing dans la rue et mêler sa voix à la voix de la foule en colère. Elle recevra bien des gifles encore et des insultes aussi mais rien ne peut l'arrêter à vingt ans, ni les gifles du frère ni sa grossesse ni même la peur d'être tuée.

1980 – Université de Téhéran

Un nuage de fumée au loin, des coups de feu, des cris.

J'ai peur, je sens le danger et je me recroqueville un peu plus au fond du ventre mais ce ventre va vers la mort, poussé par une force irrépressible.

La jeune mère court dans les couloirs d'une université. Elle manque de tomber : elle a failli glisser sur une flaque de sang dont la trace mène jusqu'à une salle de cours d'où sortent des hurlements déchirants.

Elle s'approche et regarde. À travers la porte entrouverte, elle voit une jeune fille allongée sur une table, un homme tente de la violer. À côté d'elle, par terre, un jeune homme à qui on brise le crâne à coups de bâton. Elle met la main sur sa bouche pour étouffer un cri d'épouvante.

Elle est affolée et ses jambes tremblent.

Des feuilles volent partout, des feuilles de cours, des fiches d'inscription, des dossiers. Les pages des livres sont déchirées ; des étagères entières sont renversées ; des mains fouillent dans les tiroirs ; des bouches hurlent. Les voiles des femmes sont piétinés ; des mains arrachent leurs cheveux. Les femmes sont traînées par terre, elles se débattent comme elles peuvent et les hommes qui les traînent les traitent de sales putes. Ces hommes ont les yeux injectés de sang et brandissent des bâtons plantés de clous. Ils hurlent « *Allah Akbar* ».

Le bruit d'un crâne qu'on brise.

Elle court toujours mais ne parvient pas à trouver la sortie. Elle voit des jeunes tomber par terre ; elle entend des cris, ses oreilles saignent ; elle voudrait disparaître – devenir aussi petite qu'une fourmi – et se faufiler dans un coin avec son bébé.

Son bébé. Soudain, elle prend conscience qu'elle est enceinte.

Ma mère porte ma vie mais la Mort danse autour d'elle en ricanant, le dos courbé ; ses longs bras squelettiques veulent lui arracher son enfant ; sa bouche édentée s'approche de la jeune femme enceinte pour l'engloutir.

Deux hommes l'ont vue, au bout de leurs bras pendent des bâtons cloutés, ils avancent vers elle. Une fenêtre est ouverte.

Enceinte d'un bébé de sept mois, elle doit sauter du second étage, hésite, se retourne et son regard se fixe sur ces bâtons ; elle sent déjà les clous s'enfoncer dans sa chair.

Elle saute.

Elle saute et je tombe.

Tu es suspendue en l'air et c'est moi qui tombe.

Je tombe et ton ventre se creuse, je me tapis jusqu'à disparaître.

Je tombe et tu m'abandonnes dans ce ventre suspendu dans le vide.

Tu me jettes hors de toi. Mon premier abandon. Ma première blessure d'amour.

Ange sans ailes, ma folle irresponsable, ma douce assassine ; à cet instant-là, tu as creusé un trou en moi dans lequel toutes les angoisses de ma vie future prendront racine.

Tu tombes et je meurs le temps d'une seconde dans ton ventre devenu tombeau.

La mère est étendue sur le sol, incapable de bouger, une douleur vive dans la jambe. La tête tournée vers le ciel, les yeux grands ouverts, elle fixe les nuages blancs. Elle reconnaît dans un nuage la forme d'une tête de cheval. Sa vue se trouble, sa tête est lourde ; juste avant de plonger dans un profond sommeil, elle pose ses mains sur son ventre.

Le bébé bouge.

Il était une fois la voix
de la grand-mère

Au début, elle est une voix, seulement une voix pour moi.
Sa voix me parvient à travers la paroi de peau, de chair, de sang et de placenta qui me protège contre la barbarie du monde extérieur.

Sa voix est frêle, minérale, aux accents aigus ; une dentelle qui vibre au vent mais qui cache dans ses mailles une petite aiguille qu'on aurait oubliée, prête à piquer sur-le-champ pour se défendre ou nous rappeler à l'ordre.

— Tu es complètement inconsciente ! Tu vas te tuer et tuer ma première petite-fille.

— Il le faut. Je ne pouvais pas laisser les camarades se faire tuer ainsi.

— Tu en as peut-être sauvé un, toi, avec ton gros ventre de sept mois ?

— Non, j'en ai sauvé aucun, mais j'ai vu.

— Et qu'est-ce que t'as vu ?

— Mâdar[1], si tu savais... On ne doit jamais oublier ça.

---

1. « Maman »

— Ça suffit ces délires, tu m'entends ? Tu resteras ici jusqu'à ce que tu accouches. Et ensuite que le Diable t'emporte !

— Je témoignerai de ce que mes yeux ont vu.

— « Témoigner », mais ça veut dire quoi « témoigner » ?

— Ce bébé témoignera aussi à son tour, je le sais.

— Ce bébé, tu vas tâcher de lui offrir trois mois de repos. Tu vois cette clé ? C'est la clé de la chambre, je vais t'y enfermer jusqu'au jour de l'accouchement.

Te voilà séquestrée dans la maison de ma grand-mère.

Tu es allongée sur un canapé moelleux dans le salon. Il fait bon. Une mère nourrit sa fille qui nourrit son bébé. Les mains de ma grand-mère s'affairent. Elle prépare à manger : une bonne et douce odeur de riz beurré au safran se dégage de la cuisine.

J'aime déjà ma grand-mère, ma grande protectrice. Je reconnais immédiatement le timbre de sa voix du fond de ce ventre agité. Maman Massoumeh, je voudrais que tu nous prennes en otage dans cette maison pour toujours, que tu ne nous laisses plus repartir. Donne-nous encore des plats délicieux, du thé, de la chaleur, des friandises. Prends soin de ma première maison. Enveloppe-nous, fais taire les cris du monde, parle-nous encore.

Il y a le bruit de la théière qui siffle sur le feu. La vigne se balance sur les murs, un chat passe furtivement, ma mère caresse son ventre. Enfin elle se repose comme une femme enceinte raisonnable. Loin des manifestations, des prospectus, des clous plantés dans le crâne de la jeunesse. Elle ferme les yeux pour oublier ; mais les images macabres reviennent sans cesse sous ses yeux pour la tourmenter. Armée de fantômes sans bouche, vous réclamez votre témoignage mais pas maintenant, pitié, laissez-nous en paix, allez-vous-en. Je vous donne des coups de pied pour vous chasser. Ma mère sursaute. C'est bon, je t'ai ramenée sur le bord de la vie, la voix de ma grand-mère aussi. À nous deux, nous te maintiendrons loin d'eux.

Il était une fois les yeux
de la mère

Elle passe des heures à regarder les yeux de sa mère. Des yeux de la mère sortent des mélodies muettes que la petite fille tente de transcrire sur des cahiers d'écolier.

Donner voix à tes yeux.

La mère parle peu. Des rêves tournent autour de sa tête comme des oiseaux au-dessus des tours de silence. On a raconté un jour à la petite fille que ses ancêtres déposaient leurs morts en haut de ces grandes tours, les tours de silence, pour que les vautours viennent les dévorer. Il ne fallait pas que le cadavre souille la terre ni le feu qui était sacré.

Elle voit les rêves de sa mère au-dessus de sa tête, elle essaie d'attraper un de ces oiseaux par mille ruses et elle n'y parvient pas. Alors, elle les dessine sur des feuilles volantes qui tapissent le sol de sa chambre.

Ces dessins, mosaïques de mon amour pour toi, de mes tâtonnements timides pour m'approcher et sentir même de très loin l'odeur de tes rêves.

Absente, longtemps je t'ai vue absente. Absentée de la vie, de la maternité, du désir. Tu glissais lentement sur la vie avec un sourire d'acceptation.

Si j'écris aujourd'hui, c'est probablement parce que tu écrivais avant. Je vole tes images dans les poèmes que tu as écrits et que tu m'as lus. J'ai ressenti de l'appréhension chaque fois que tu ouvrais ton carnet noir rempli de feuilles, de lettres, de bouts de papier sur lesquels tu avais griffonné des vers, des poèmes parfois inachevés. J'en avais toujours un peu peur. Peur de ton âme, peur des souvenirs qui pouvaient ressurgir, peur de cette voix si longtemps silencieuse et qui se mettait d'un coup à parler. Je voulais que ça s'arrête vite et j'étais soulagée quand tu refermais ton lourd carnet noir. J'avais réussi à attraper au vol une image par-ci par-là et ça me suffisait. Petite voleuse des bijoux de ton âme. Je préférais te deviner, t'imaginer.

Je t'écris.

Je n'écris pas à « tu », à « toi », non, je devrais plutôt dire « j'écris toi ».

Je barbouille ton visage de mes rêveries, je le mêle à mes mensonges, à tout ce qui me console, je plonge mes mains dans des pots de peinture à la recherche de tes yeux.

Je te trempe dans des liquides faits de fantasmes et d'angoisses et je te ressors de là, nettoyée, sublimée, transformée. Je voudrais te tirer à l'infini pour que tu ne meures jamais.

Je t'étends sur ma table de travail. Je te dissèque. J'ouvre tes bras, tes jambes, je soulève tes seins, je farfouille dans ton ventre pour y trouver le secret de ma naissance.

Le don

Les yeux de la mère regardent au loin l'envol d'une plume. Elle sait qu'elles doivent partir. Elle a acheté des vêtements, des chaussures pour là-bas. La petite fille doit donner ses jouets aux gamins du quartier. Elle n'en a absolument aucune envie. Mais ses parents lui ont enseigné que la propriété est une vilaine chose. Ils ont lu ça dans un livre de Makarenko. Elle ne comprend pas ce que ça veut dire ce mot, « la propriété ».

— Pourquoi je dois donner mes jouets ?

— Parce qu'on ne peut pas les emporter avec nous là-bas.

— Mais je veux pas.

— Écoute, c'est beau de donner, tu comprends ?

— Non, je suis obligée de donner, c'est pas la même chose. Je veux pas !

La mère soupire.

— Mais bon sang, qu'est-ce qu'on a fait au monde pour avoir une enfant pareille ! Elle ne pige rien au communisme.

Encore un autre mot que la petite de cinq ans ne comprend pas.

Elle se réfugie dans sa chambre et sous une tente qu'elle a fabriquée avec un drap et deux chaises, elle rassemble tous ses jouets autour d'elle et elle leur parle :

— Écoutez-moi, on veut nous séparer mais moi je veux pas, alors on va rester là, on va pas bouger et je vais vous raconter plein d'histoires jusqu'à ce que tout le monde s'endorme et alors je vais creuser un trou dans la terre juste au pied de l'arbre dans le jardin et je vous cacherai là. Je reviendrai vous chercher plus tard, mais je reviendrai vite et on jouera à nouveau ensemble. Je fais pas confiance aux autres enfants du quartier. C'est des sauvages, ils vont vous abîmer. Moi je sais prendre soin de vous et je vous abandonnerai pas.

Et la petite fille ouvre un premier livre et raconte une histoire à l'assemblée des jouets qui la regardent sans rien dire, inquiets de leur sort.

Il était une fois

Un Roi qu'on appelait « Mèche de feu ». Il était le Roi d'un pays où il faisait toujours froid et toujours nuit. Il avait privé toutes les maisons du feu sacré si bien qu'on ne le trouvait nulle part. Après le coucher du soleil, la ville s'habillait lentement d'un voile noir et épais. On ne pouvait pas cuire les aliments, se chauffer en hiver, forger les métaux, retrouver son chemin dans la nuit, contempler le visage de ceux qu'on aime à la lumière d'une bougie, jouer aux ombres chinoises ni lire jusqu'à une heure tardive de la nuit. La vie s'arrêtait après la dernière lueur de lumière naturelle sur la ville. Toutes les fenêtres des maisons devenaient dès lors de grands yeux noirs aveugles.

Toutes, sauf une : le palais du Roi. Ce dernier avait ordonné qu'on éteigne tout ce qui ressemblait de près ou de loin à du feu et il avait ensuite renfermé la dernière flamme qui vacillait encore dans une mèche de cheveux au-dessus de son front, c'est pour ça qu'on le surnommait « Mèche de feu ».

Et chaque fois qu'il en avait besoin, il approchait une brindille vers le haut de son crâne pour l'enflammer et s'entourer ainsi de lumière et de chaleur.

Un jour, un petit garçon qui s'appelait Shoja, ce qui veut dire « courageux », décida d'approcher Mèche de feu pour lui voler un peu de ce feu magique qu'il portait sur la tête ; magique, car ce feu-là ne s'éteignait jamais.

Il avait attendu patiemment une nuit de pleine lune pour pouvoir se diriger. Il se rendit dans le palais du Roi en faisant bien attention de ne pas se faire attraper par ses gardes.

Le palais était somptueux, éclairé de mille feux, il n'avait jamais vu tant de bougies, de torches, de flambeaux, ses yeux éblouis avaient même cru voir de petites flammèches dans l'air. Une douce chaleur se posait sur sa peau et l'engourdissait un peu, il flottait dans une mer de lumière. Soudain, Shoja sortit de sa torpeur en secouant la tête : il avait une mission à accomplir. Il se ressaisit et ouvrit grand ses yeux et ses oreilles et eut l'impression d'entendre un léger bruit de ronflement à l'étage. Sur la pointe des pieds, il monta les marches, le ronflement se faisait de plus en plus perceptible. Il avança jusqu'à une chambre. Il tourna doucement la poignée de la porte et entra. Le Roi était allongé dans son lit, il dormait à poings fermés.

Shoja sortit sa brindille de sa poche et l'approcha de la mèche magique du Roi. La brindille s'enflamma d'un coup et il retourna vite au village.

Des cris de joie retentirent dans tout le royaume : en quelques heures à peine tous les habitants avaient enfin le feu chez eux.

On le conserva dans de grands fours qu'il fallait régulièrement alimenter de bois. Et toute la nuit et le jour qui suivit, les habitants construisirent sans répit des armes, des lances et des épées dans les caves de leur maison. Ils voulaient renverser ce Roi qui les avait si longtemps maintenus dans une nuit noire.

Le soir suivant, les habitants armés jusqu'aux dents se rendirent au palais du Roi et lorsque ce dernier vit à sa grande stupéfaction les flammes des torches qui virevoltaient dans le ciel noir et léchaient la pointe aiguisée des épées et des lances, il comprit que son heure était venue. Il prit ses jambes à son cou et s'enfuit sur son cheval.

Une grande fête eut lieu dans tout le village : on alluma un feu géant autour duquel on dansa toute la nuit.

La petite fille referme le livre, se lève et en attrape un autre, elle continue de lire encore et encore comme pour repousser le temps de leur séparation.

J'ai dû aussi donner mes vêtements, mes livres, mes meubles. Ce don forcé se déroulait chaque fois dans les cris et les pleurs.
Mais devant les enfants qui venaient chez nous et attendaient de recevoir une poupée ou un livre, je me taisais. L'air grave et solennel, je tendais le jouet en silence.

Je revois le jouet dans les mains des enfants pauvres du quartier, l'étonnement dans leurs yeux, leur sourire timide. Mais dès que la porte se refermait, je courais dans ma chambre et là, j'étais saisie d'une angoisse profonde à la vue de cette pièce qui se vidait peu à peu.

Je me remettais alors à pleurer, parfois à hurler, finissant inéluctablement par sombrer dans un état d'abattement, inerte, les yeux dans le vide. Je me sentais si seule au monde. J'étais convaincue que je vivais avec deux monstres qui me déposséderaient de tout.

Ma grand-mère s'est arraché les cheveux en apprenant que les jouets qu'elle avait choisis avec soin et amour avaient été donnés aux enfants du quartier. Elle a essayé de les empêcher mais rien ne pouvait arrêter mes parents. Ils étaient convaincus qu'ils m'enseignaient là une des leçons fondamentales de la vie : le détachement matériel et l'abolition de la propriété.

J'allais alors me blottir dans ces bras moelleux et chauds ; c'était là ma seule consolation. Ma grand-mère me répétait qu'elle m'en rachèterait d'autres, que je ne devais pas pleurer, qu'elle prierait pour moi contre ces barbares de communistes et ses doigts fins aux ongles parfaitement manucurés qui sentaient la fleur d'oranger et la rose essuyaient mes grosses larmes chargées de tout le désespoir du monde.

Nouchâbé

C'est mon anniversaire. J'ai cinq ans. Un grand gâteau est sur la table avec plein de crème.

Il manque une personne : mon oncle, le frère de ma mère. Il s'appelle Saman. Il m'offre toujours pour mon anniversaire une fleur, une seule fleur qui s'appelle « Golé Maryam ». C'est notre rituel : à chaque anniversaire, une Golé Maryam. J'adore son parfum.

Cette fois-ci, il n'est pas là. Il ne viendra pas. Il n'y aura pas de Golé Maryam pour mes cinq ans.

Le téléphone sonne. Ma mère décroche. Elle écoute et elle ne parle pas. Elle raccroche.

Il a été attrapé. Il est en prison à Evin. Il avait sur lui des tracts. Plus tard, quand la police a fouillé chez lui, ils ont trouvé aussi une arme. Il vient d'avoir dix-neuf ans.

Des femmes vêtues de noir font la queue pour voir leurs détenus. Des silhouettes noires, silencieuses, des paniers à provisions dans les bras. Elles attendent leur tour de visite.

Je fais la queue avec ma grand-mère puis un peu plus tard, je suis assise face à mon oncle.

Il y a une vitre qui nous sépare. Je lui parle à travers un téléphone. Il sourit avec effort. Je sais ce que ça lui coûte, ce sourire. Je lui dis que ces hommes barbus sentent mauvais et qu'ils sont moches. Il éclate de rire et se rattrape en mettant le doigt sur sa bouche en signe de silence. Ne parle pas comme ça ici. Ma grand-mère me gronde aussi. Je m'ennuie. J'ai envie de partir. Je déteste cet endroit, mon oncle est dans une cage gardée par des hommes dégoûtants.

Je pense à mes jouets que je vais devoir abandonner.

Je ne veux pas être comme lui dans cette cage. Je veux aller là-bas. Peut-être que c'est bien là-bas.

2005 – Paris – Terrasse du café Sancerre
aux Abbesses

Il est tard, minuit passé. J'ai 25 ans. Mon oncle Saman est là, assis en face de moi, ma mère aussi. Il parle sans cesse. Il n'a jamais été aussi bavard. Il a un peu bu. Sa langue se libère. C'est la première fois qu'il évoque la prison.

J'ai passé huit ans dans une des pires prisons au monde. J'y ai laissé mes cheveux, mes dents, ma jeunesse. Il boit une gorgée de bière.

La première année, je partageais ma cellule avec un grand journaliste engagé dont les écrits étaient célèbres dans les milieux intellectuels iraniens. J'étais si fier de partager ma cellule avec lui. Mais cet illustre résistant avait une drôle de manie : il regardait chaque matin le même dessin animé à la télévision. Le dessin animé n'avait rien d'exceptionnel, banal comme il s'en fait tant. Il regardait ce truc avec une assiduité et une concentration imperturbable chaque matin. Il suivait tous les épisodes, pour rien au monde il n'aurait raté une minute des aventures de la petite Nouchâbé, c'était le nom du dessin animé.

Un jour, ne tenant plus, je lui demande pourquoi il regarde ça tous les jours. Ça me surprend qu'un journaliste comme lui, célèbre, reconnu, engagé et emprisonné pour ses idées politiques puisse trouver de l'intérêt à ce stupide dessin animé et franchement je m'inquiète pour lui car j'attribue cette obsession à une forme de régression.

L'homme a levé la tête et m'a fixé du regard. Il a souri.

Il m'a répondu lentement :

— C'est pas un stupide dessin animé et je ne régresse pas, ne t'inquiète pas. Tu vois le personnage de Nouchâbé ? La petite bouteille qui parle dans ce dessin animé, c'est la voix de ma femme.

— La voix de ta femme ?

— C'est son métier, elle est doubleuse. Elle fait la voix de ce personnage et moi, c'est sa voix que j'entends chaque matin.

Je suis revenu dans ma cellule et j'ai écrit sur mon petit carnet : « Nouchâbé » pour ne pas oublier.

Je voudrais passer ma vie à récolter des histoires. De belles histoires. Dans un sac, je les mettrais et je les emporterais avec moi. Et puis au moment propice les offrir à une oreille attentive pour voir la magie naître dans le regard. Je voudrais semer des histoires dans les oreilles de tous les êtres. Je veux que ça fleurisse, qu'il en sorte des fleurs embaumantes à la place de toutes les fleurs manquantes, absentes, de toutes les Golé Maryam qui auraient dû être offertes et qui n'ont pas pu l'être.

Abbâs

Notre maison est située dans le quartier de Tehranpars. Elle est le lieu secret de réunions politiques clandestines. Chaque semaine, des gens viennent chez nous. Lorsqu'ils franchissent le seuil de la porte, ils ont les yeux baissés, ils fixent uniquement leurs chaussures ou les ferment complètement pour ne pas voir le trajet ni reconnaître le lieu. C'est la règle : si on se fait prendre, on ne pourra pas révéler le lieu. Une fois dans la maison, ils lèvent et ouvrent les yeux et moi je les regarde attentivement pour voir si je reconnais un visage familier. Pendant ces réunions où les grandes personnes écrivent des prospectus et fument d'innombrables cigarettes, on me met dans un coin de la maison, je joue ou plutôt je fais semblant de jouer, je sais que je ne dois pas déranger ; ce sont des affaires d'adultes et d'ailleurs personne ne prête vraiment attention à moi. Personne, excepté un seul.

Il s'appelle Abbâs. C'est le seul qui s'intéresse à moi parmi ces anonymes. Il s'approche de moi, me soulève et me lance en l'air en riant. Il déclame très fort que ce bébé lui donne de la force, la force de combattre, de prendre les armes, que c'est pour tous les enfants de ce pays qu'il veut faire la révolution à nouveau contre ces salauds, qu'il est prêt à mourir pour tous ces bébés qui sont nés sous la révolution. Il me regarde en souriant et me repose sur le sol.

Ses yeux brillent quand il sourit et même quand il ne sourit pas. Il a le regard des illuminés. Abbâs, c'est une étoile filante : il n'aura pas une longue vie parce que son cœur, un jour, ne pourra plus contenir tout cet amour à donner. Un jour, son cœur explosera et j'espère que le monde sera éclaboussé de son amour.

Moi je le regarde et je lis tout ça dans ses grands yeux noirs intenses de vie.

Un matin, la mère d'Abbâs frappe à notre porte. Elle a les yeux rouges. Elle a du mal à parler. Ma mère comprend tout. Elle l'invite à entrer.

Mon fils a été attrapé, ils sont venus en pleine nuit, il dormait. Ils l'ont arraché du lit, ils l'ont traîné dehors. Et le pire c'est qu'ils ne lui ont même pas laissé le temps de s'habiller ni de mettre ses chaussures. Dans sa hâte, il n'avait réussi à enfiler qu'une seule sandale, une pauvre sandale en plastique, et j'ai couru derrière eux dans la rue pour lui donner l'autre mais c'était trop tard, et la dernière image que je garde de lui c'est son pied nu sur le goudron froid de la rue, avant de disparaître dans une voiture.

Elle ne dit plus rien. D'un geste lent, elle ouvre son sac et en sort une sandale qu'elle pose sur notre table.

Voilà ce qu'ils ont laissé à sa mère, voici ce qui me reste de mon fils : une sandale en plastique. Et elle répète ce mot, elle le murmure avec des yeux écarquillés, elle ne nous regarde plus, elle fixe cette chose posée sur la table. Elle me fait peur cette femme, je recule et me cache derrière la jambe de ma mère. Elle a des yeux tout ronds qui semblent voir des choses que nous ne pouvons voir.

Nous l'avons rencontrée quelques jours plus tard dans la rue. Ma mère s'est approchée d'elle pour la saluer. Elle nous a regardées étrangement comme une bête traquée, ma mère n'a pas insisté, nous avons continué notre chemin. Elle ne nous a pas reconnues. J'ai demandé à ma mère pourquoi elle était comme ça, les yeux grands ouverts mais vides d'expression. Elle était si inquiétante. Ma mère m'a répondu sèchement : « Elle est devenue folle ». Quelques mois après, le père est mort d'une crise cardiaque.

Et moi je demandais toujours : « Et Abbâs ? Où est Abbâs ? », on ne me répondait pas. Parfois, je laissais tomber ma question, parfois j'insistais de plus belle. Un jour où j'insistais plus que de coutume en tirant la jupe de ma mère, elle me dit avec une certaine culpabilité dans les yeux : « Il est devenu une étoile filante, là-haut dans le ciel ». C'est quoi cette histoire d'étoile filante ? J'étais plus que sceptique. Je me suis tournée vers mon père, bien décidée à obtenir la vérité sur le sort d'Abbâs.

— Baba, où est Abbâs ?

— Il est mort. On l'a fusillé en prison.

Je reçois un choc. J'ai les larmes qui montent. Je cours me cacher dans le jardin, au pied d'un figuier qui me protégera contre la folie des adultes.

Je me demande si je ne préfère pas cette histoire d'étoile filante après coup.

Abbâs, le jeune révolutionnaire, le grand amoureux de la vie, la sandale en plastique, le prisonnier, le fusillé. J'entends encore le murmure de cette pauvre mère qui a répété jusqu'à la fin de sa vie ces quatre mots : une sandale en plastique. J'entends le murmure de toutes les mères qui répètent chacune leur mot, leur mot de douleur, leur mot écorché vif, leur mot d'injustice.

L'enfant du Parti

Nous marchons tous les trois dans la rue. Je suis assise sur les épaules de mon père, j'ai à peine un an. Un couple et son enfant qui se promènent. Rien de plus banal. À côté de mes couches, dans ma grenouillère, des comptes rendus de réunions du parti d'opposition pour lequel mes parents militent. Mes parents doivent apporter ces documents à une autre antenne située plus loin dans la ville. Mon père avait eu la brillante idée d'enrouler ces documents dans du plastique et de les glisser à côté de mes couches. Il était sûr que la milice n'allait pas exiger de fouiller un bébé. En effet, l'idée était si ingénieuse qu'on me prêtait à d'autres camarades qui devaient accomplir la même mission : transmettre d'autres comptes rendus à d'autres antennes. J'étais devenue l'enfant du Parti, au grand désespoir de ma grand-mère qui s'arrachait les cheveux en voyant qu'on prêtait sa petite-fille comme une chose et qu'on l'utilisait au service de la politique.

— C'est qui ces gens, ces inconnus à qui vous la prêtez ? Je n'arrive pas à le croire : vous prêtez votre bébé ! Et s'il lui arrivait quelque chose ? C'est votre enfant, bon sang, pas l'enfant du Parti ! Et je vous répète que c'est ma première petite-fille !

Jamais on ne s'est fait attraper. Plus tard, c'était devenu notre anecdote préférée. On en était fiers, on la racontait à tout le monde, mais dans le fond je ne pouvais m'empêcher de penser que les idées politiques pour lesquelles tant de personnes étaient mortes côtoyaient mes couches pleines d'excréments et d'urine. Et ce qui me gênait le plus, comme ma grand-mère, c'est qu'on avait fait de moi un objet fort utile et efficace qui allait de main en main sans la moindre inquiétude ni le moindre sentiment de possession à mon égard de la part de mes parents.

Les fantômes sans bouche

Le père se réveille en pleine nuit, en sueur, toujours le même cauchemar qui le hante : il est au milieu d'un désert, il marche lentement sans but en fixant l'horizon, soudain ses pieds butent sur quelque chose, il regarde le sol et voit une main qui dépasse de la terre, la main d'un mort. Il continue de marcher puis un peu plus loin, à nouveau il bute sur un pied, un morceau de bras, un crâne, et à chaque fois il manque de tomber et il finit par s'arrêter, complètement épuisé, il se retourne et observe derrière lui cette plaine et il découvre un immense charnier, partout des membres, des morceaux de corps, récolte macabre de la terre. Il hurle et se réveille.

Il existe un cimetière situé à l'est de Téhéran, le cimetière de Khâvarân, connu aussi sous le nom de « Lahnatâbâd », ça veut dire « le cimetière des maudits ». Lorsqu'un prisonnier politique était exécuté, on jetait là son corps dans une fosse commune. Aucune inscription, aucune stèle, pas même une pierre. Terre vaste, aride et noire. Parfois de fortes pluies s'abattaient sur la ville et les corps mal enterrés réapparaissaient à la surface car le terrain était en pente. Alors les opposants allaient ré-enterrer leurs morts au nom de la dignité. Mon père y allait avec ses camarades. Ils vomissaient, ils en étaient malades pendant des semaines, ils étaient hantés par les images des déterrés mais peu importe, il fallait le faire. On ne pouvait pas laisser un corps sans sépulture. On ne pouvait pas laisser les camarades pourrir ainsi.

Terre maudite ou terre sainte ?

Pour les mères des défunts, cette terre était sainte car elle gardait en elle le corps de leurs enfants sacrifiés d'avoir trop rêvé. Elles se réunissaient là, au-dessus de ces fosses communes, elles ne savaient pas exactement où étaient enterrés leur fils ou leur fille mais elles savaient que c'était quelque part sous cette terre. Dès l'aube, on les voyait arriver, elles étaient vêtues d'un long voile noir soulevé par le vent. Silhouettes endeuillées majestueuses et dignes. Elles marchaient ensemble unies par la même douleur, le regard dur de colère mais mouillé de chagrin, elles venaient se recueillir sur les tombes invisibles, elles pleuraient, elles priaient et puis elles finissaient par crier. Elles criaient « *Allah Akbar* » en levant le poing au ciel et en insultant les sauvages qui avaient fait ça. Elles disaient qu'elles se vengeraient, que ce n'était pas des hommes qui gouvernaient ce pays mais des monstres assoiffés de sang.

Je déterre les morts en écrivant. C'est donc ça mon écriture ? Le travail d'un fossoyeur à l'envers. Moi aussi j'ai parfois la nausée, ça me prend à la gorge et au ventre. Je me promène sur une plaine vaste et silencieuse qui ressemble au cimetière des maudits et je déterre des souvenirs, des anecdotes, des histoires douloureuses ou poignantes. Ça pue parfois. L'odeur de la mort et du passé est tenace. Je me retrouve avec tous ces morts qui me fixent du regard et qui m'implorent de les raconter. Ils vont me hanter comme mon père, qui se réveillait en sueur chaque nuit durant des années. Invisibles, ils suivent mes pas. Parfois, je me retourne brusquement dans la rue et je vois des bouches effacées.

La peur

Une femme est dans un marché. Elle se tient là immobile et regarde les autres femmes faire leurs courses. Elles achètent des fruits et légumes, du pain, de la viande quand il y en a, des sucreries pour leurs enfants. Elles poussent une poussette, elles tiennent des paniers, des sacs chargés de provisions. Elles préparent à manger, elles s'occupent de leur foyer, elles rendent visite à leur famille. La femme qui est là comprend d'un coup qu'elle est différente, qu'elle ne connaît pas cette paix, qu'elle ne fera jamais ses courses comme tout le monde et elle éprouve une nostalgie pour cette vie tranquille qu'elle n'aura jamais. Elle regarde les étalages de produits autour d'elle et tout lui semble brumeux, à distance, comme dans un rêve. Même ces femmes sont inatteignables, elles sont trop loin pour qu'elle puisse leur parler. Elle effleure de la main le manteau d'une femme, le voile d'une autre, le sac de celle qui vient de passer, pour voir si elles sont bien réelles. Cette vie quotidienne, ces moments simples : aller au marché avec son enfant, prendre un melon et le sentir, tâter les fruits pour les choisir avec soin, échanger quelques mots ou plaisanteries avec le vendeur ou la voisine, lui sont inaccessibles. Seuls comptent la lutte, les idées, les prospectus, les réunions. Baisser les yeux ou les fermer, ne pas regarder le trajet, ne rien identifier, se boucher même les oreilles, ne pas savoir où on va, ne rien pouvoir dénoncer par la suite, on ne sait jamais, tant de personnes se sont fait attraper, ne surtout pas parler, ne rien dire, se taire même sous la torture, surtout sous la torture. La torture... la réalité insoutenable de la torture. Son frère Saman est peut-être torturé là, maintenant, à cette minute précise, alors qu'elle est au marché à penser à ces femmes qui ne lui ressemblent pas. Elle imagine sa peau de jeune homme brûlée par des mégots, mutilée, électrifiée, chair sanguinolente jetée dans un coin d'une cellule, souillée d'urine et d'excréments. Saman, quand il était petit, il rentrait de l'école, ouvrait à la hâte son cartable et faisait ses devoirs sur le perron de la porte. Il avait une telle passion d'apprendre qu'il ne pouvait attendre une minute de plus avant d'ouvrir son cahier de devoirs. Il s'allongeait entièrement et il fallait l'enjamber pour entrer dans la maison.

Ce pays massacre ses meilleurs enfants.

Ses pensées se mêlent aux bruits du marché, elle est si loin maintenant de la vie. Elle se sent triste, ça la submerge et elle a envie de tout arrêter pour une vie paisible comme tout le monde. Être comme tout le monde. Mais c'est trop tard, comment revenir en arrière ? Elle se rassure : je combats pour ces femmes, pour qu'elles puissent avoir des droits, oui, pour qu'elles soient libres, fortes, je lutte pour elles, pour leur vie, tant pis pour moi, moi c'est rien, ça ne compte plus.

Lieu inconnu. La mère a baissé les yeux pour venir jusqu'ici, emmenée par un homme qu'elle ne connaît pas.

Bâtiment à l'abandon. Fenêtres brisées. Des machines à écrire, de quoi imprimer. On se regarde à peine, les yeux sont rivés sur des feuilles que des mains noircissent très vite tandis que d'autres tapent à la machine et impriment à l'aide d'une sérigraphie. Des yeux relisent. Des yeux corrigent. Il faut faire vite.

Soudain, on frappe. Un vent froid traverse la pièce. On retient son souffle. Personne ne bouge. Une voix derrière la porte crie le mot de passe. On ouvre.

— Il faut déguerpir. Les bassidjis vont débarquer d'une minute à l'autre.

Peur, Mort, Torture, les déesses malveillantes pénètrent dans cette salle et bourdonnent dans l'espace, elles volent au-dessus de leur tête.

La mère court, les bras chargés de prospectus. Un homme lui crie de tout laisser. Elle hésite. Tout ce travail, ce risque encouru pour rien.

— Lâche tout ça, bon sang, tu veux crever ou quoi ? Sauve-toi.

Les prospectus tombent, elle marche dessus, déboule dans les escaliers, se perd dans des couloirs. Où est la sortie ? Où est la sortie de ce putain de bâtiment ?

Elle est dehors, regarde autour d'elle, n'a aucune idée du lieu.

Elle saute dans un taxi.

Elle regarde derrière elle à travers la vitre arrière du taxi et voit les bassidjis qui entrent dans le bâtiment. Elle se recroqueville sur le siège arrière pour se cacher.

Elle rentre chez elle, va tout droit aux toilettes et vomit.

Je joue dans un coin. Je l'observe. Elle est pâle. Ses yeux hagards rencontrent les miens. Elle court vers moi et me serre fort dans ses bras. Elle me serre trop fort, ça me fait mal et son haleine sent le citron pourri.

Les rumeurs comme un essaim d'abeilles tourbillonnent dans la rue, dans les oreilles : il a disparu, on n'a plus de nouvelles, elle a été attrapée, elle nous connaissait, ils ont peut-être fui à l'étranger, peut-être, mais s'ils sont en prison, ils vont être torturés avant d'être exécutés, tout le monde est torturé avant, et s'ils parlent sous la torture, s'ils nous dénoncent, s'ils donnent notre adresse, sous la torture, qu'est-ce que tu ferais toi ?

La peur tout doucement vient se loger dans le regard du père et de la mère, elle envahit la maison, la rue, le quartier, elle se faufile dans les conversations anodines avec les voisins, avec les commerçants. Les plats mijotés ont un goût de peur, les soirées entre amis aussi. Les voix familières laissent échapper des accents étrangers. Les mains que l'on serre peuvent cacher des objets tranchants dans leur paume. Une simple plaisanterie peut se changer en menace. Partout, tout le monde peut dénoncer.

La Mort est assise les jambes croisées sur les montagnes de l'Alborz qui surplombent Téhéran.

Les livres enterrés

Pour la première fois, le père et la mère sentent leur foi révolutionnaire décliner. Il y a comme des fissures sur l'édifice de l'engagement, des rides apparaissent sur leur visage si ferme auparavant. Ils ouvrent les yeux et regardent leur fille de cinq ans qui joue dans la rue avec les enfants du quartier. Ils ouvrent les yeux et regardent leur maison, le salon vide, sans meubles de valeur, sans tapis, sans aucun décor et ils voient les ombres des camarades qui se réunissaient là. Ils ouvrent les yeux et aperçoivent pour la première fois l'avenir, leur avenir. Ils veulent vivre. Pour cela, il faut partir.

— On va les enterrer dans le jardin, au pied de l'arbre. C'est la meilleure cachette.
— Mais pour quoi faire ? Tu sais qu'on ne reviendra jamais et même si on revenait, cette maison et ce jardin n'existeraient plus.
— C'est pas grave, on doit le faire. On peut pas les jeter ou les brûler, ou pire les donner à quelqu'un.

— Oui, c'est vrai, ce serait un cadeau empoisonné.

— Vas-y, apporte les livres, moi je creuse le trou.

Et la mère dépose dans ce trou Marx, Engels, Lénine, Makarenko, Che Guevara et tous les autres ; le père les recouvre de terre humide.

La petite fille est là. Elle les observe debout sur le perron. Elle se dit que ce jardin contient désormais beaucoup de choses : ses jouets à elle, et maintenant les livres interdits de son père.

Elle s'est juré de revenir et de déterrer tout ça, plus tard, quand elle le pourra.

Août 2003 – Téhéran –
Quartier de Tehranpars

Je suis avec mon oncle Saman, devant ma maison natale. La maison n'existe plus. La rue n'est plus la même, le quartier tout entier est méconnaissable. À l'emplacement du petit pavillon et de son jardin, se dresse un grand immeuble moderne de cinq étages avec parking.

Je dis à mon oncle : tu imagines quand les ouvriers ont creusé la terre pour construire cet immeuble, ils ont dû trouver les livres, j'imagine leur tête en tombant dessus. Qu'est-ce qu'ils ont dû penser ? Et s'ils avaient bien observé ce trou, ils auraient pu y trouver aussi mes jouets et les rêves de ma mère.

L'attente

Il est tard. Ma mère me lit un livre. Je n'arrive pas à m'endormir. La lecture est laborieuse, elle fait ça comme une routine. Elle n'est pas là. Je vois de moins en moins les oiseaux tourner au-dessus de sa tête, ses rêves disparaissent petit à petit. C'est comme si elle les chassait, un par un.

— Maman, où est papa ?
— Dans un autre pays.
— C'est quoi un autre pays ?
— Ça s'appelle la France.
— La France ? Mais quand on va aller là-bas ?
— Bientôt.
— C'est quand bientôt ?
— Je ne sais pas.

La petite fille ne pose plus de questions. Elle comprend que les réponses seront toujours aussi évasives et incertaines.

Elle s'endort.

Nous sommes chez ma tante, la sœur de mon père. L'ambiance est tendue. Ma mère veut rester étudier en Iran, elle hésite à partir, elle ne sait plus où elle en est.

— Il est hors de question que tu restes ici avec ta fille.

— Je n'ai pas dit que je voulais rester.

— Alors quoi ? Qu'est-ce que tu veux faire ?

— J'ai simplement évoqué la possibilité de reprendre mes études de médecine.

— Tu ne laisseras pas mon frère tout seul en France.

— J'ai reçu l'autorisation de me réinscrire à l'université, c'est une chance inouïe.

— Mais comment peux-tu être si égoïste ?

— C'est ma vie.

— Non ce n'est pas ta vie, ce n'est plus ta vie. Tu as un mari qui attend sa famille. Tu comprends ça ? Tu dois y aller.

— C'était sa décision de partir. Pas la mienne.

— Très bien, alors tu ne verras plus Maryam.

— Quoi ?

— Tu divorceras et l'enfant sera à nous, nous sommes la famille paternelle.

— Vous n'avez pas le droit.

— Si ! L'enfant revient au père dans ce pays.

— Je suis sa mère.

— Il est son père.

— C'est du chantage, vous me menacez.

— Tu iras là-bas. C'est ton devoir d'épouse et de mère.

Dans le ciel, il n'y a plus le moindre vol, la moindre plume.

Il n'y a plus que ces tours de silence dressées comme d'immenses points d'interrogation dans les yeux de la petite fille.

Une nuit, elle en est sûre, elle a vu sa mère dans le jardin, au pied de l'arbre, enterrer ses rêves, un par un, à côté de ses jouets à elle.

La fille ne dessine plus. Elle a fini par donner tous ses jouets, les meubles de sa chambre, ses vêtements et ses livres aux enfants du quartier. La maison natale se vide peu à peu. Elle fait du vélo dans la rue déserte pour tuer le temps. Elle observe des flaques d'essence mêlées à de la pluie. Arc-en-ciel sur le goudron de la rue. Elle poursuit un chat. Elle cueille des fleurs qu'elle finit par jeter. Elle attend.

Barbe Noire

1986 – Téhéran – Aéroport Mehrabad

Une mère et sa fille sont assises dans un aéroport. Salle d'embarquement. La petite fille regarde autour d'elle. Elle attend. Il fait chaud. La petite fille ne pense qu'à son père. Elle va le retrouver. Enfin.

Un homme se dirige tout droit vers la mère. Il a le regard dur. Il ressemble à ces hommes de la prison où l'oncle est enfermé. La même barbe, les sourcils froncés, les dents serrées. Ses mains prennent le passeport de la mère. Elle ne comprend pas. Elle doit le suivre. Il y a un problème. Elle se lève et marche vite, la fille court presque derrière elle.

Elles paniquent. L'homme se perd dans la foule. Il finit par réapparaître au bout d'un couloir. Elles sont loin de la salle d'embarquement à présent. Elles sont assises dans une petite salle en face de lui.

La fille fixe l'homme de ses grands yeux. Elle est impressionnée par sa barbe : épaisse, frisée, longue, noire. C'est une forêt sombre au fond de laquelle brillent de petites dents quand il parle. Elle lui masque la moitié du visage, s'étendant des pommettes au cou, elle est persuadée que la barbe aurait voulu pousser davantage, envahir d'autres espaces comme la nuque, les oreilles, les paupières, le front. Elle imagine le visage entier de l'homme recouvert de poils, elle prend peur.

— Tu ne peux pas embarquer. Tu ne partiras pas. Ton voile est mal mis. La loi islamique est stricte là-dessus.

— Pardon ? Je comprends pas.

— Des mèches dépassent de ton voile.

La mère enfonce à la hâte les quelques mèches sous son foulard et le tire sur son front. Il tombe presque sur ses yeux maintenant. Elle resserre brutalement le nœud. Ses mains tremblent.

— Je vous demande pardon, je n'ai pas fait attention à ces quelques mèches.

— Tais-toi.

— Je dois rejoindre mon mari.

— Je t'ai dit que tu pouvais pas embarquer. On va te retenir ici avec ta fille jusqu'à ce qu'on décide de votre sort.

— Mais ma fille doit rejoindre son père.

— Tais-toi.

— Je vous en prie, laissez-nous partir.

— Tais-toi je te dis.

— Je veux aller dans l'avion, maman.

— On ne peut pas.

— Pourquoi on peut pas ?

— Sans passeport, pas d'avion, sans avion, pas de papa.

Soudain, je comprends tout. Je ne verrai pas mon père. C'est aussi simple que ça. Ce méchant barbu m'empêchera de le voir, et je devrai encore attendre, attendre, toutes ces heures sans lui, sans baba.

Et la petite fille se met à pleurer. Elle pleure en regardant cet homme et elle appelle son père : baba. Elle l'appelle à l'aide : baba ye man, baba. Elle voudrait le faire apparaître pour qu'il les délivre de Barbe Noire.

Les larmes timides et plaintives deviennent peu à peu des hurlements, des sanglots violents, elle se frappe les cuisses, et toujours elle crie baba. Quelque chose se déchire. Elle s'accroche à sa mère pour ne pas tomber de sa chaise.

La mère est une statue. Elle fixe droit devant elle, le regard dans le vide. On dirait qu'elle est morte.

La fille ne voit plus rien, ni la salle, ni la mère ; ses yeux brouillés de larmes ne fixent qu'un seul point devant eux, comme hypnotisés par cette chose : dans les mains de cet homme, au bout de ses doigts, le passeport.

Elle n'entend plus rien. L'homme exige qu'on la fasse taire. La mère ne réagit pas ; elle écoute chaque sanglot de sa fille. Elle sait que c'est la seule arme qui leur reste, les sanglots affolés de sa fille.

— Fais-la taire, je te dis.

Elle ne se taira pas et il le sait. Et l'homme peu à peu a le regard qui change. Une douceur timide apparaît sur son visage ; les traits auparavant tendus semblent se relâcher. Il entend cette fille et ce mot, baba, qu'elle crie s'immisce dans sa peau, se faufile en lui, monte à la surface de ses yeux et les ouvre d'un coup.

— J'ai une fille aussi. Elle a 5 ans. Quel âge a-t-elle ?
— Bientôt 6 ans.
— Elle n'a pas vu son père depuis combien de temps ?
— 7 mois.
— Je n'ai pas le droit de faire ça. Dégagez d'ici. Vous embarquez dans une demi-heure.

Il nous jette le passeport que ma mère attrape au vol.

Nous courons, nous bousculons des gens, nous heurtons des valises, nous sautons par-dessus les obstacles. Nous dansons. Nous dansons pour échapper à la mort. Je suis agrippée à ta main. Tu vas beaucoup trop vite, mes pieds touchent à peine le sol. Je vole avec toi.

Le foulard de ma mère glisse sur ses cheveux noirs, elle le remet, il retombe, des mèches de cheveux s'envolent. Les pans de son manteau ample et long sont comme deux mains qui se soulèvent et flottent dans l'air, applaudissant notre départ, notre course effrénée vers l'avion, vers la liberté.

Je t'aperçois à travers les grandes portes vitrées qui séparent les passagers de ceux qui les attendent. J'ai envie de courir, de sauter, je ne tiens pas en place. Je lâche la main de ma mère et je bondis dans tes bras et je m'y colle, je reste ainsi pendant des heures, accrochée à toi. Je suis logée dans une citadelle qui me protégera contre tout le malheur du monde. D'ici, plus rien ne peut m'atteindre.

Il était une fois
les mains du père

Des mains abîmées et forgées par la matière.

Ses mains ont tout d'abord touché des billets : mon père était banquier.

Assis derrière un bureau, une cravate au cou, un costume bleu marine aux manches trop longues et des chaussures vernies noires qui crissaient à chaque pas, il ouvrait, remplissait ou vidait des comptes, un sourire commercial aux lèvres. Il avait un bon poste. « Il faut le garder », lui répétait sa grande sœur autoritaire que j'appelais Ameh Aziz. Cette grande sœur restée vierge toute sa vie répétait à tout le monde : « Banke Meli[1], mon frère travaille à la banque nationale, oui, oui, il a un bon poste, Alhamdulilah »[2]. Chaque matin, il allait s'asseoir à ce bureau et ses mains manipulaient des livrets, des feuilles et des dossiers aux chiffres abstraits qui ne dansaient jamais sous ses yeux.

Puis un jour, ses mains ont glissé en cachette des prospectus dans les tiroirs de ses collègues.

---

1. « Banque Nationale »
2. « Dieu soit loué »

Il arrivait très tôt le matin à la banque, avant tout le monde. Il sortait de sa sacoche la pile de tracts aux lettres capitales noires. Il jetait un regard rapide sur les gros titres : « Mort au dictateur », « Khomeyni est un assassin », « Après le Shah, Khomeyni : où est passée notre révolution ? » Il déposait le tract dans chaque tiroir de bureau : mon père militait.

Un frisson lui parcourait le dos chaque fois qu'il parvenait à faufiler son prospectus. Une fierté aussi : il prenait un risque, il était courageux. Puis un jour, c'est la main du directeur qui a déposé un tract sous les yeux de mon père. Mon père a levé la tête lentement et il l'a vu debout, l'air grave, prêt à le licencier sur-le-champ. Le directeur a lu calmement le prospectus puis il a ajouté : « Vous êtes viré ».

Ameh Aziz a failli faire une syncope. Ses grosses mains bouffies et rougies par le travail domestique frappaient ses cuisses et sa tête en signe de désespoir extrême comme le font certaines femmes orientales endeuillées devant la tombe d'un proche.

Indifférent aux lamentations de ma tante, mon père avait déjà l'esprit ailleurs. Il fallait rebondir et puis au fond de lui, il était bien content de ne plus porter cette cravate qui l'empêchait de respirer.

Ses mains ne sont pas restées longtemps inactives. Elles ont vite cherché d'autres matières à manipuler parce qu'il fallait malgré tout nourrir une famille. J'avais alors deux ans et ma mère ne travaillait pas, elle venait de se faire renvoyer de l'université de médecine pour avoir manifesté.

Ce fut alors l'entrée en scène du métal, plus précisément de l'aluminium : mon père fabriquait des cadres.

Il s'était lancé dans ce « business » avec le frère de ma mère. Le garage et une partie du jardin étaient devenus leur chantier. C'était évidemment du travail au noir comme tous les boulots qu'il a faits par la suite. Quelques cadres ont été vendus, beaucoup ont été offerts au voisinage, à la famille et aux amis et finalement, bien peu d'argent a été récolté.

Il fallait de toute façon quitter ce pays.

En France, les mains ont d'abord frappé de la ferraille, tachées de peinture de voiture qui sentait fort : mon père était tôlier-peintre.

Il faisait chaque jour trois heures de trajet en voiture pour se rendre à un garage appartenant à un Iranien d'origine turque et il tombait toujours dans ces satanés bouchons. C'est de cette période que date son extrême nervosité derrière le volant. Je crois sincèrement que ces bouchons l'ont traumatisé à jamais et que tous ses excès de vitesse et les points perdus de son permis viennent de là.

Puis un jour, le garage a fermé. Il s'est retrouvé au chômage avec cette fois-ci deux enfants à nourrir. Mon frère venait de naître. Ma mère ne travaillait toujours pas.

Les mains angoissées devaient trouver quelque chose d'autre rapidement. Ce fut alors le long défilé de la matière, on pourrait presque dire son apothéose : bois, béton, briques, ciment, graviers, peinture pour sol, pour murs, tuiles, enduit, white spirit, clous, tournevis, pinces, parquet, moquette, carrelage ; mon père était devenu ouvrier en bâtiment et célèbre brico-leur. Il réparait tous mes objets cassés, du vélo à l'ordinateur en passant par les bijoux. C'était mon MacGyver.

Je l'ai toujours vu penché sur quelque chose, accroupi ou assis à sa table dans une cabane qu'il s'était aménagée dans un coin du jardin. Une petite maisonnette dans laquelle s'entas-saient tous ses outils de travail, son bric-à-brac de bricoleur, c'était « son jardin secret », son espace de repli. Ça sentait la cigarette froide, l'huile et la poussière et parfois l'odeur vague du thé. Il avait accroché au mur d'énormes outils totalement rouillés qui devaient dater de la pré-histoire, achetés dans une brocante. Fier de cet achat, il les exhibait devant les visiteurs. À tra-vers ces outils, il nous disait : regardez, mon art de bricoleur vient du fin fond des âges, un ancêtre m'a jadis transmis son savoir-faire et un jour, j'ai reconnu ces outils sur l'étalage d'un vieux brocanteur.

Puis un jour ses mains ont commencé à moins tra-vailler, elles étaient fatiguées, ridées et craquelées par endroits. Il y avait aussi la marque d'innom-brables blessures laissées par la matière et l'outil. La peau était devenue aussi dure que du cuir. Alors lentement, elles ont cherché un repos, un apaisement quotidien. Elles ont creusé le temps à la recherche d'une identité. Elles se sont mises à toucher de l'encre, des calames, des pinceaux et du papier. Il traçait des lignes, des courbes, des traits secs, des boucles, les mains valsaient avec la poésie de Khayyâm, de Rumi ou de Hâfez sur la scène blanche du papier : mon père faisait des calligraphies.

Et parallèlement, comme poussées par une évidence secrète, les mains se sont mises aussi à palper une pâte noire et visqueuse pour en faire de petites boules à brûler sur un réchaud : il était devenu fumeur d'opium. Il avait fabriqué lui-même son réchaud. Une petite bouteille en plastique remplie à moitié d'eau avec un trou au milieu dans lequel il avait placé une paille. Il collait son bout d'opium sur une tige de cintre métallique qu'il avait découpé, il l'approchait d'un autre trou qu'il avait fait dans le bouchon de la bouteille et chauffait l'opium qu'il inhalait à l'aide de la paille. Une sorte de narguilé artisanal à opium. Je savais qu'il fumait aux bruits de la tige métallique qui frappait le bord du réchaud et celui de l'eau qui faisait des bulles quand il inspirait.

Comme son père, il reproduisait les mêmes gestes. Ce père, mort lorsqu'il avait onze ans, il semblait le retrouver et reprendre le fil de la conversation avec lui à travers ses fumeries d'opium. Les mains noircies d'encre de Chine cassaient le sucre à diluer dans le thé noir. Et dans cette fameuse cabane, où les outils antiques du vieux brocanteur inconnu côtoyaient les outils flambant neufs de Castorama, on voyait apparaître des calligraphies. Elles chantaient la vieille poésie persane et se multipliaient au fil du temps, tapissant ces murs jaunis par la fumée de la cigarette et de l'opium. Dans cet espace réduit, où l'on pouvait à peine tenir à trois, s'entassaient pêle-mêle les morceaux de la vie de mon père, sa trajectoire. Sur sa table de travail, un tournevis côtoyait un pinceau de calligraphie, et ces deux objets réunis en disaient plus sur lui que n'importe quelle confession de sa part.

Parfois les mains du père bougeaient aussi une souris d'ordinateur, souvent jusqu'à l'aube, et parcouraient des sites iraniens, cliquaient sur des liens qui menaient à d'autres liens et les mains s'enfonçaient et se perdaient dans cet étrange labyrinthe médiatique où il n'était question que d'arrestations et de peines de mort. Les photos des jeunes pendus à des grues dans les rues de Téhéran paralysaient ses mains pour un instant et le cœur serré, il aspirait une longue bouffée de cigarette, soupirait, murmurait quelques vagues mots de désolation et reprenait sa déambulation somnambulique dans les cercles concentriques de la Toile, en passant d'un site à l'autre. Je te répétais sans cesse d'arrêter ça, de ne plus regarder ces images choquantes et terrifiantes. Tu me répondais que c'était la seule chose qui te restait, la seule chose qui restait de ton combat : t'informer, rester informé, informer les autres.

Tu regardais ces photos, ces vidéos et tu savais au fond de toi que tu étais devenu un blédard comme les autres, tu n'étais plus réfugié politique depuis que tu avais obtenu la nationalité française, mais tu n'étais pas vraiment français non plus et ton combat d'autrefois avait maintenant un goût d'amertume et de vanité.

Et puis un jour tes mains ont remué la terre d'une maison de campagne que tu avais achetée à deux heures de Paris. Tu disais que c'était ton rêve, un grand rêve que tu poursuivais depuis vingt ans. Tu t'y retirais chaque week-end puis parfois tu y restais la semaine aussi, tu voulais aller finir tes jours là-bas, prendre ta retraite dans ce champ. Tes mains creusaient la terre, la retournaient, y plantaient des graines et tu t'efforçais de la fortifier sans engrais chimiques ni pesticides. Tu cultivais « bio ». Tes doigts robustes à la peau dure en sortaient fièrement des courgettes, des pommes de terre, des concombres que tu posais comme une victoire sur la table de la cuisine sous le nez de ma mère.

La campagne te permettait de renouer avec ton enfance passée dans les vergers du nord de Téhéran où avec tes cousins tu participais à la cueillette des fruits chaque été.

Je t'ai rarement vu aussi apaisé et heureux qu'au fond de ce champ, à y travailler jusqu'au crépuscule.

L'histoire se répète

Mon père a décidé un jour de se rendre à l'ambassade d'Iran à Paris pour faire une demande de passeport iranien : il voulait rentrer au pays pour quelques jours. Il voulait revoir les siens, retrouver les rues, les odeurs, le vacarme et la lumière de Téhéran.

Juin 2009 – Téhéran – Manifestations
contre les élections

« Ils nous ont volé notre révolution.
Ils nous ont volé notre démocratie.
Ils nous ont volé notre vote. »

Il est dans la rue, près de la grande place de Hafté Tir. Il ne marche pas, il regarde. Il voit ces milliers d'Iraniens qui défilent devant lui, un brassard vert enroulé autour de leurs bras. Il voudrait se joindre à eux. Il voit les bouches crier des slogans : « Mort au dictateur ». Il entend le rythme de leurs pas, il a le cœur qui bat. Il voudrait se joindre à eux. Il voit des hommes en moto, des machettes à la main, fendre la foule et frapper tout ce qui bouge. Il voit des corps qui tombent. Il voit des femmes et des hommes qui courent pour se protéger. Ses mains se crispent, son cœur se soulève. Il voudrait se joindre à eux. Il voit de la fumée, du sang, tout son passé qui ressurgit. Il se voit à vingt-neuf ans, il vivait à Vienne où il étudiait le cinéma, il avait tout quitté pour venir défiler dans ces mêmes rues, crier les mêmes slogans, porter secours aux mêmes blessés. Il voudrait se joindre à eux comme il l'avait fait trente ans auparavant. Mais il a cinquante-neuf ans et il ne peut plus se joindre à eux. Il reste immobile, désemparé sur le bord du trottoir et spectateur affligé, il se demande ce qui se passe en lui. Autour, rien n'a changé. L'histoire se répète mais quelque chose a changé en lui : il a vieilli, il a peur, il ne veut plus mourir pour des idées. Il préfère ce bout de trottoir parce que sur ce bout de trottoir la vie y est un peu plus en sécurité. Alors, les yeux exorbités d'épouvante et d'impuissance, il regarde pour témoigner et c'est tout ce qu'il peut faire.

Chaque nuit durant le mois de juin 2009 on entendait les voix déchirantes des habitants de Téhéran qui criaient : « Allah Akbar ». Les habitants montaient sur les toits des maisons et appelaient Dieu. Seulement ces deux mots : Allah Akbar. Mon père se réveillait et pensait que c'était le chant du muezzin. Puis il comprenait que c'était la voix des habitants qui imploraient la justice divine, ils appelaient la vengeance de Dieu pour punir ces imposteurs qui massacraient d'innocents manifestants. Dès qu'il entendait ces cris, il n'arrivait plus à dormir. Il aurait aimé aussi mêler sa voix à la leur mais il lui était impossible de prononcer ces deux mots. Cela faisait longtemps qu'il était en guerre avec l'Islam et le simple nom d'Allah remuait en lui trop de haine et de rancœur.

Puis tu es rentré en France, tu reprenais le travail, les vacances étaient terminées pour toi. Ma mère et moi sommes venues te chercher à l'aéroport d'Orly.

Tu as le regard perdu, une vulnérabilité se dégage de ton corps. Tu me fais penser à un petit garçon qui a besoin d'être consolé. On te prend toutes les deux dans nos bras maternels et tu exploses en sanglots. Tu pleures tout ce que tu as vu là-bas. Tout cela doit couler et sortir de toi et nous, on t'essuie les yeux en silence.

Ça fait un mois que tu parles à peine. Tu ne vas plus sur ces sites iraniens durant la nuit. Tu as refermé la porte du labyrinthe infernal de l'information. Tes mains ne font plus rien. Elles sont posées immobiles sur tes genoux : elles se sentent coupables et elles attendent leur verdict dans le tribunal de ta tête. Tu te juges sévèrement. À la barre de ton procès intérieur, tu t'accuses d'être lâche et vieux mais ce n'est pas de la lâcheté, c'est simplement l'envie de vivre.

Je prends des cours de yoga sur le toit d'un bungalow. Mon prof est un Serbe qui n'a pas remis les pieds chez lui depuis quinze ans.

« Tu es iranienne ? C'est la première fois que je rencontre une Iranienne en Inde. Tu sais je suis allé en Iran, il y a très longtemps. Quelques mois à peine après la révolution, c'était en septembre 1979, si je me souviens bien. Je venais de traverser à pied l'Europe et la Turquie. J'ai débarqué dans ce pays à moitié mort, je n'en pouvais plus de marcher, j'avais les pieds défoncés, presque plus d'argent et j'avais peur aussi des événements récents qui venaient de s'y passer. Bref, je ne savais vraiment pas ce que j'allais y faire ni pourquoi je me retrouvais là.

Ma première soirée à Téhéran était nébuleuse. Tout était flou, entouré de brumes, je marchais comme un somnambule dans les rues bruyantes. J'observais les enseignes des magasins, j'essayais d'attraper un regard, un sourire, un contact par-ci par-là, les femmes passaient à côté de moi, me jetant un regard furtif. Je devais pas être beau à voir. Il y avait une odeur de gasoil, de fumée et de bois brûlé dans l'air. Un homme est venu m'accoster dans la rue, il parlait anglais. Il m'a invité chez lui, c'était un étudiant activiste qui cherchait à fuir son pays. Un de ses frères était en prison. Nous avons parlé politique, lutte, révolution et religion. Sur le mur du salon, il avait accroché un portrait de Che Guevara. Je ne sais pas pourquoi mais j'ai eu envie de pleurer à la vue de ce portrait. Je sentais le désastre de cette révolution iranienne. Je sentais dans cette chambre l'odeur d'un rêve brisé, le gâchis d'une énergie folle.

Il s'est levé et il est revenu avec une pipe d'opium et un réchaud à charbon. Il m'a demandé si je voulais fumer avec lui. « Pour oublier », dit-il en riant.

Nous avons fumé. Mon corps s'enfonçait dans le tapis, ma tête dans le coussin brodé, mes yeux se perdaient dans les arabesques du rideau et peu à peu je me suis endormi. »

Comment peut-on être persane ?

Téhéran – Conversations avec des cousines

2013 – « Miami Party »

Il y avait une soirée organisée dans une villa chic du nord de Téhéran, dans le quartier de Niavaran.

La soirée s'appelait « Miami Party ». Le concept : porter un bikini pour les filles et un short de bain pour les mecs, on est tous autour d'une grande piscine, on boit des cocktails ou du champagne, on fume de l'herbe, on danse et on saute dans la piscine. Miami quoi !

C'était mortel ! Je me suis rarement amusée comme ça.

Trois semaines après, chaque invité de la soirée « Miami Party » a été identifié par les photos postées sur Facebook et arrêté soit à son domicile, soit à son lycée. Tous ont été retrouvés.

Un après-midi, on sonne au domicile de ma cousine. Elle n'est pas là, elle flâne dans un centre commercial avec ses copines.

Ma tante ouvre la porte, elle voit deux hommes et une femme :

— Vous êtes la mère de Zhara Zâhedi ?

— Oui.

— Où est votre fille ?

— C'est à quel sujet ?

— Conduite indécente, atteinte aux bonnes mœurs, violation du code islamique.

— De quoi vous parlez ?

— Soirée « Miami Party » à Niavaran. Nous avons les photos.

Les bouteilles de whisky de mon mari, ils vont fouiller la maison, ils vont les trouver. Où sont-elles ? Dans le meuble du salon, et il y en a une dans la chambre à coucher.

Ma tante referme brusquement la porte. Elle bondit dans le salon et la chambre, prend les bouteilles, les vide dans les toilettes, tire la chasse d'eau, met du parfum, balance les bouteilles par la fenêtre où elles tombent avec un bruit sourd dans les buissons d'une cour intérieure.

Pendant ce temps, les autres tambourinent à la porte comme des fous furieux, en la menaçant des pires représailles si elle n'ouvre pas sur-le-champ.

— Veuillez m'excuser, dit-elle en ouvrant la porte, les cheveux en bataille et le cœur à deux doigts de lâcher.

— Qu'avez-vous caché ?

— Rien. Vous pouvez fouiller.

Ma cousine est restée trois jours en prison et a pu être libérée grâce au paquet de fric que mon oncle a dû donner. Elle n'avait que seize ans.

Ma cousine Simine s'est mariée quatre ans plus tôt. Elle a un fils âgé de trois ans. Elle est allée jusqu'au bac et ne travaille pas.

— Mon mari s'est levé un matin et il m'a balancé à la figure : « Je veux prendre une seconde femme ».

— Quoi ? Tu veux prendre une seconde femme ? Tu plaisantes ?

— Non, pas du tout, je suis très sérieux. C'est mon droit, je peux en avoir jusqu'à quatre. L'usine marche très bien, j'ai de quoi acheter une seconde maison à ma seconde femme donc je suis parfaitement en accord avec l'Islam.

— Tu as déjà rencontré ta seconde femme ?

— Oui, c'est pour ça que je t'en parle.

— Mais t'es une ordure.

— Disons que je commence un peu à m'ennuyer avec toi, et puis tu as une maison, un fils, une belle cuisine, tu n'as jamais manqué de quoi que ce soit. Alors sois compréhensive.

— Comprendre ? Comprendre quoi ? Que tu me craches à la figure ? Si tu fais ça, je divorce. Je te le jure.

— Alors d'abord tu vas baisser d'un ton et tu vas arrêter avec tes menaces. Tu veux divorcer, vas-y, je ne vais pas te retenir.

— Espèce de connard, sale gosse de riche, ton père t'a toujours tout donné et aujourd'hui monsieur s'ennuie de sa femme, il en veut une deuxième, comme les jouets qu'il réclamait quand il était gosse, fils de pute, sors de cette maison ou je me barre sur-le-champ.

Il m'a giflée et traînée par les cheveux jusque dans la chambre à coucher, il m'a frappée encore au visage et m'a dit en levant le doigt : « Surveille ton langage, c'est moi qui décide dans cette maison, tu n'es rien sans moi, tu n'es qu'une femme ».

Nous avons divorcé. J'ai perdu la garde de mon fils. Il vit avec eux. La nuit, j'imagine mon petit garçon allongé dans leur lit entre le corps de cette seconde femme et celui de mon ex-mari. J'ai la nausée chaque fois que j'y pense.

2003 – « San Francisco ou Los Angeles ? »

Je suis avec ma cousine Sharnaz. Elle est très rebelle et aime jouer avec le feu de l'interdit. Elle vient de fêter ses dix-neuf ans.
Nous sommes dans sa voiture. Elle fume, je remarque la trace de rouge à lèvres sur sa cigarette. Elle porte de grosses lunettes noires Gucci dernier cri. Son foulard orange vif couvre à peine le quart de ses cheveux.

— Tu vois cette rue, c'est « Jordan street », les jeunes l'appellent comme ça.
— Il y a beaucoup de jeunes dans cette rue. Ils font quoi ici ?
— Ils draguent.
— Mais ils ne se parlent pas. Comment ils font pour draguer ?
— Maryam, réveille-toi, on n'est pas à Paris ici (elle prononce « Paris » en imitant un accent très français). On est à Téhéran, la ville du vice

et du crime (elle dit ça avec une voix rauque de voyou).

Je me mets à rire.

— Explique-moi alors la combine pour draguer dans la ville du vice et du crime.

— C'est très simple, tu vois, notre révolution à nous, c'est le portable et Internet. Attends, je vais me garer un instant et tu vas tout comprendre.

Regarde là, tu vois la jeune fille avec le foulard bleu clair, bon elle marche dans la rue, jusque-là, tout est normal. Regarde-la, elle a repéré un mec. Tu as vu le signe de tête ou pas ?

— Non j'ai rien vu.

— Maryam, merde, sois attentive, je suis en train de te montrer un truc que tu ne verras nulle part ailleurs. Bon, je reprends. Elle a repéré un mec, elle lui a fait un signe de tête. Le mec se met à suivre la jeune fille. Regarde-le, il fait ça avec une discrétion quasi professionnelle. Elle s'arrête devant une vitrine, elle fait semblant de regarder. Le mec s'arrête aussi devant la même vitrine. Tu les vois ? Ouvre grand tes yeux maintenant.

— Elle lui a glissé un truc dans la main très rapidement.

— Bravo, ça y est, tu as l'œil persan. Elle vient de lui donner son numéro et elle est partie. Le mec va la rappeler et ils vont aller soit à San Francisco, soit à Los Angeles.

— Quoi ?

Elle explose de rire.

— Le mec va demander à la fille si elle veut aller à San Francisco ou à Los Angeles. C'est un code. San Francisco, ça veut dire : on s'embrasse, on se touche, on fait quelques préliminaires mais rien de plus. Los Angeles, là, attention c'est le grand saut, on va jusqu'au bout : on baise.

— C'est comme ça que font tous les jeunes à Téhéran ?

— Non, y a plein de variantes, on a de l'imagination, tu sais.

2003 – Le foulard rouge

Je vais chez ma tante Ameh Aziz. J'attends pour traverser la rue. Soudain, je vois en face de moi une voiture de police qui s'arrête net en crissant des pneus. Deux femmes intégralement voilées en sortent et attrapent une jeune fille au foulard rouge et qui porte des espadrilles découvrant des ongles vernis violets. La fille se débat, les femmes la frappent au visage, elle crie, appelle au secours, l'une la gifle, l'autre tire ses cheveux.

J'apprendrai plus tard qu'il s'agit des « Fatmeh Commando » : la milice des bonnes mœurs. Les Fatmeh Commando sont des femmes qui s'attaquent à toute femme mal voilée ou habillée de manière provocante. De « manière provocante » veut dire dans l'intention de violer l'esprit pur et chaste de l'homme qui s'efforce de ne pas être tenté par ces créatures diaboliques mais qui a l'esprit tellement bien placé dans le cul et le sexe des femmes que le moindre poil féminin le fait sortir du droit chemin.

Ces Fatmeh Commando enfoncent de force la fille dans la voiture et l'emportent.

Rien ne bouge dans la rue pendant quelques secondes. Puis les voitures et les passants reprennent leur train-train quotidien comme si de rien n'était.

Je suis clouée sur place, les yeux écarquillés, je fixe un point, là où deux secondes avant il y avait une jeune fille au foulard rouge et aux ongles soigneusement vernis violets.

2009 – *La PDG*

— C'est rare dans ce pays une femme qui dirige des hommes. J'en dirige plus de 400.

— C'est ton entreprise ?

— Oui, je l'ai héritée de mon père. Il voulait me la léguer, il y tenait. Bon, en même temps j'étais son unique enfant, s'il avait eu un fils, il l'aurait léguée à son fils.

— C'est dur d'être une femme PDG en Iran ?

— Oui et non. Pas plus qu'ailleurs, je suppose. J'ai entendu dire que c'était dur aussi en Europe pour les femmes chefs d'entreprise de gérer leur travail, leur vie personnelle, leur vie de famille.

— Pour toutes les femmes d'ailleurs qui ont une vie de famille et un travail. Tu es mariée ?

— Non, aucun homme n'a voulu m'épouser. Je leur fais peur !

— Tu es sérieuse ?

— Oui. Regarde-moi : j'ai trente-trois ans, je suis l'héritière d'une véritable fortune, je ne suis pas laide et je sors de la meilleure université de ce pays. J'ai également obtenu un master en gestion d'entreprise à Londres. Je joue très bien du santoor et du piano et je cuisine divinement bien. Mais je suis « inapprochable », intouchable presque pour les hommes iraniens.

— Tu en as trop dans la tête.

— Oui, ils me fuient parce que je détiens un pouvoir, financier et intellectuel. Ici, les hommes ne fantasment pas sur ce genre de femmes. Ils se sentent écrasés. Je suis condamnée à être célibataire.

2003 – Le quiz

Je suis avec mon cousin dans sa voiture. Nous allons dans un quartier sud de Téhéran pour faire réparer sa voiture, chez « Reza Yek Cheshm », « Reza un œil », son pote garagiste qui n'a plus qu'un œil suite à une bagarre qui a mal tourné.

Deux policiers en moto débarquent et nous disent de nous mettre sur le côté. Ils nous demandent la nature de notre relation. Mon cousin répond qu'on est de la même famille, son père est mon oncle, ma mère est sa tante. Ils nous prennent chacun à part et nous posent des questions sur notre famille.

— Nom de vos pères et mères.
— Âge de vos pères et profession.
— Âge de vos mères et profession.
— Tous les oncles et tantes, le nom de leur époux et épouse et leurs enfants.
— Vos frères et sœurs, nom et âge.
— L'adresse de la maison de vos grand-parents.
— Âge de vos grand-parents.

Ensuite, ils comparent nos réponses pour voir si nous avons fourni les mêmes.

Puis, ils nous demandent d'appeler en mettant le haut-parleur, moi mon oncle, son père, et lui ma mère, sa tante.

Mon cousin dit que sa tante vit en France. Le policier répond que ça ne pose aucun problème, qu'elle a un téléphone, il peut donc l'appeler.

Nous exécutons l'ordre. Nous échangeons quelques banalités avec eux. Nous raccrochons.

Ils nous laissent repartir.

Je suis assommée d'absurdité. Je ne sais même plus si je dois avoir peur, rire, pleurer, crier, me pendre.

— Tu vas rentrer en France et tu vas raconter ça à tout le monde. J'ai honte. Je t'en prie, ne raconte ça à personne.

2011 – Pékin

Je suis dans un bar chic d'expatriés. Des amis me présentent un homme d'une cinquantaine d'années. Ayant appris que j'étais iranienne, il s'empresse de me raconter son anecdote persane.

« J'ai travaillé en Iran. Je bossais pour une société pétrolière. J'ai passé une semaine à Téhéran. Tu sais, j'ai pas vu grand-chose de la ville ni de ses habitants, c'était un voyage d'affaires mais une scène me revient à l'esprit. Nous étions en voiture, nous roulions vers un restaurant situé au nord de la ville, dans les quartiers chics. Au feu rouge, une magnifique Porsche noire s'arrête à côté de nous. La vitre est baissée et je vois une très belle femme, les lèvres d'un rouge écarlate et le trait de khôl tracé à la perfection autour de ses yeux. À ce moment-là, son foulard blanc glisse sur ses cheveux, laissant découvrir une chevelure noire de jais. D'un geste lent et sensuel, elle remet son foulard, tourne son visage vers nous avec un regard envoûtant et malicieux, ses lèvres rouge vif s'étirent lentement et son sourire laisse entrevoir des dents d'une blancheur éclatante. Ce sourire était comme la promesse éblouissante de mille plaisirs à venir. Le feu est passé au vert, elle a démarré au quart de tour et elle était déjà loin devant nous.

Je n'en revenais pas. Je suis resté comme ça, bouche bée. Quel paradoxe ce pays ! »

Khayyâm en veux-tu,
en voilà !

Le charme oriental... Tu vois ces tableaux de Delacroix, ces femmes lascives allongées sur des divans, c'est l'image que j'ai des femmes iraniennes.

Quand tu es entrée pour la première fois dans la salle des profs, j'ai immédiatement pensé à ces femmes de Delacroix. Ta lourde chevelure bouclée, tes gestes, ta manière langoureuse de parler, tes yeux sombres, je te voyais alanguie au milieu de coussins brodés d'or. C'est extraordinaire d'être persane !

Oui c'est extraordinaire, vous avez raison. La révolution, deux oncles en prison, les prospectus dans mes couches, le départ in extremis, l'exil, l'opium de mon père. J'en suis consciente et j'en ai souvent joué de ce romanesque. Dans les soirées parisiennes intello-bourgeoises ou lors de la première rencontre avec un homme histoire de le charmer, mais aussi face aux voyageurs qui ont traversé l'Iran sur la route de la soie, face aux expatriés qui ont travaillé là-bas. D'habitude, les gens ont entendu parler de l'Iran à travers les médias, les livres, les films. Tout ça est un peu lointain, irréel, mais là, ils ont en face d'eux quelque chose de bien vivant. Alors, je me faisais conteuse devant un public avide d'histoires exotiques et je rajoutais des détails et je modulais ma voix et je voyais les petits yeux devenir attentifs, le silence régner : certains, les plus sensibles, ont même pleuré. Je triomphais.

Je suis au restaurant avec un homme qui me plaît. Je veux à tout prix le séduire. Je lui fais mes regards langoureux, je deviens aussi sensuelle que possible, je suis une toile de Delacroix. Je passe la main dans mes cheveux. Je renverse ma tête, dévoilant la chair souple et fraîche de mon cou. Si je pouvais, je demanderais au serveur quelques coussins, voilages et riches tentures.
Quand je sens qu'il est prêt à m'écouter attentivement, je me prépare. Je module ma voix, je mets mon costume de femme persane, je secoue mes voiles et, sous les feux de ses yeux déjà conquis : je lui récite Omar Khayyâm. Je commence toujours en persan et je donne ensuite la traduction en français.

مهتاب به نور دامن شب بشکافت
می نوش دمی بهتر از این نتوان یافت
خوش باش و میندیش که مهتاب بسی
اندر سر خاک یک به یک خواهد تافت

J'attends un peu pour voir l'effet que ça lui fait. Il n'a rien compris, pas un seul mot, mais ses yeux brillent face au mystère dévastateur de la langue persane et de sa poésie. Est-il séduit parce qu'il n'a rien compris ? Peu importe, il a mordu. Je lui balance maintenant la traduction, histoire de l'achever.

Le clair rayon de la lune écarte la robe de la nuit
Bois tu ne trouveras plus un instant aussi propice
Sois heureux et sans souci car cette lune que tu vois
Déversera sa pâle lumière sur nos tombeaux bien des nuits.[1]

— C'est sublime, Maryam. Il y a une musique très singulière, une douce plainte, une mélancolie timide mais profonde. Je suis en train de tomber amoureux...

En veux-tu ? En voilà !

Istanbul. C'est l'anniversaire d'un musicien très porté sur « l'Orient ». Il joue du ney, du saz, et du tar. Il parle turc et persan. Je ne le connais pas, il m'a invitée parce que nous avons un ami en commun. Avant même que je franchisse la porte de son appartement, il imagine déjà une odalisque aux voiles flottants et transparents, à

1. Traduction de Gilbert Lazard, *Cent un quatrains de libre pensée*, Connaissance de l'Orient, Gallimard.

la peau épicée et chaude, s'avançant avec une amphore sous le bras, lui versant du vin en chantant d'une voix douce et suave.

Je lui dis que je n'ai pas de cadeau d'anniversaire mais que je peux lui réciter Omar Khayyâm. Il reçoit un choc. Celui-là est déjà conquis avant même de m'entendre. La simple idée que je puisse réciter de la poésie persane le met dans tous ses états. Il allume subitement une cigarette, se met à rire sans raison, m'étale son bric-à-brac de culture persane, derrière lequel il voudrait cacher son émoi et maintenir une certaine consistance. Il appelle à l'aide Attâr, Hâfez, Saadi, Rumi, il s'accroche à Massignon et Corbin, pour ne pas sombrer. C'est du tout cuit.

می خور که به زیر گل بسی خواهی خفت
بی مونس و بی رفیق و بی همدم و جفت
زنهار به کسی مگو تو این رازنهفت
هر لاله که پژمرد نخواهد بشکفت

Il me regarde avec admiration, et avec une légère crainte dans la voix, il me demande la traduction. Il sait que ce sera le coup fatal.

Bois. Tu devras sous la terre dormir plus que ton content
Sans compagne et sans confrère, camarade ou confident.

Il est un profond secret qu'il ne faut dire aux
*   profanes :*
La tulipe qui se fane ne refleurira jamais.[1]

Il ne dit rien. Il est immobilisé. Subjugué. La
cendre de sa cigarette vient de tomber sur son
parquet. Je savoure ma victoire, bien que aisée.
C'est toujours ainsi avec les « orientalistes », ce
sont les proies les plus faciles à attraper, les
plus prévisibles.
En veux-tu ? En voilà !
    Ce peintre fou m'attire mais il me résiste.
Résistera-t-il à mon poète persan ? Je lui chante
ses vers. Il sourit, il y a quelque chose qui fond
en lui. C'est bien, te voilà un peu apprivoisé.

Je bois un verre, le mec m'intéresse vaguement,
je lui récite Khayyâm, juste pour voir l'effet
sur lui. Boum ! Il tombe. Il veut que je monte
chez lui.

Celui-là a de beaux yeux mais dès qu'il ouvre
la bouche, j'ai envie de bâiller. Allez, un petit
quatrain et Khayyâm le réanimera avec un peu
de chance.

Je suis ivre morte, je ne sais même plus qui
j'ai en face de moi, mais je veux voir s'il sera
séduit. Je récite un quatrain rapiécé, tout abîmé,
je me trompe dans les vers, on s'en fout, il ne

---

1. Traduction de Gilbert Lazard, *Cent un quatrains de libre
pensée*, Connaissance de l'Orient, Gallimard.

comprendra rien de toute façon. Il s'exclamera comme tous les autres :

— Oh, cette musique de la langue persane, c'est magique. C'est beau, c'est beau...

— Oui c'est très beau et c'est extraordinaire d'être persane mon coquin. Allez, à la casserole, toi aussi !

Et toi, tu veux un poème aussi ? Allez viens, y a pas de raison que tu n'aies pas aussi ton Khayyâm. Y en aura pour tout le monde, ne vous inquiétez pas, tout le monde aura son petit Khayyâm récité par une Persane.

Ne laisse pas s'effacer l'instant de plaisir qui passe.
Écoute le fin mot de cette histoire : nous sortîmes
    de l'eau pour devenir poussière
Ma belle, buvons avant que le Potier fasse de
    nos corps de belles amphores
Bois, tu ne trouveras plus un instant aussi propice
L'herbe qui poussera sur nos tombes, qui la
    contemplera ?
Nous sommes des marionnettes dont le Ciel est
    le machiniste
La caravane pressée de nos jours comme elle passe
Qui peut dire pourquoi l'on m'a fait venir ?
Sois heureux et sans soucis
On sortit de l'enfance pour devenir savant
Je suis l'esclave de cet instant
Qui peut dire pourquoi l'on me fait m'en aller ?
Bois, bois, bois, saisis l'instant
La poussière, la terre, on sortit de la terre pour
    devenir vent

Nous sommes si fiers de notre savoir
Écoute le fin mot de cette histoire
Bois. Le vent, on est du vent, rien que du vent
Si mon vin est amer, il a le goût de ma vie
Déversera sa pâle lumière
Nos tombeaux
Bien des nuits, bois
Le fin mot de cette histoire
Sois heureux, sois heureux, sa pâle lumière
Déversera, incline la bouteille, le vin, bois,
Terre, poussière, ma belle
Le vent, que du vent, le vin
Bien des nuits, bois, bois

Bois. On va tous crever.

En veux-tu ? En voilà !

La vision

Je voudrais me taire quand on me demande mes origines. Je voudrais raconter autre chose, n'importe quoi, inventer, mentir. Je voudrais aussi qu'on me pose d'autres questions, des questions inattendues, déroutantes, même absurdes, qu'on me surprenne. Et en même temps, je me vautre dans mon petit monde exotique et j'en tire une fierté jouissive. La fierté d'être différente. Mais toujours cette gêne, cette voix intérieure qui me rappelle que tout ça ce n'est pas moi, que je me cache derrière un masque, celui de l'exilée romanesque. Je vous le donne, ce masque, prenez-le, je le dépose entre vos mains.

2012 – Paris. Je suis invitée à dîner chez un ami kurde, Azad.

Il a dû s'exiler de Turquie dix ans auparavant pour ses activités politiques après avoir purgé une lourde peine de prison. Il est communiste, kurde et journaliste. Ce soir, il a une folle envie de tout savoir. Une foule de questions s'abat sur moi.

Mais ce soir-là, posées sur mes genoux, mes mains sont moites et inertes, mes yeux gênés et ma gorge nouée.

Je raconte mon oncle Saman en prison. Je ne parviens pas à animer la fameuse Nouchâbé. Je commence à avoir des sueurs froides. Azad me harcèle de questions, surexcité par ce début pourtant laborieux de récit.

Je n'arrive pas à trouver mes mots. Je m'arrête un instant, je souffle un peu, lève les yeux et je vois mon oncle Saman. Je vous assure : il est assis en face de moi, accroupi, en haut de l'armoire, il entoure de ses bras ses genoux. Il me regarde avec des yeux déçus et comme implorant quelque chose. Il me semble plus maigre, plus malade, comme à sa sortie de prison. Je lui chuchote que je ne peux pas, que je ne peux plus le raconter, que je suis désolée. Il ne dit rien, je le scrute à mon tour et je m'aperçois que sa bouche est comme effacée. Il me regarde avec une tristesse infinie.

Je bois une gorgée d'eau. Je reprends mon récit mais mon oncle est toujours là en haut de cette armoire, il me fixe.

Je raconte à Azad les jouets que j'ai dû donner aux enfants de la rue d'après Makarenko, lu et interprété par mes parents, qui ont décidé qu'en leur fille devait être aboli le sens de la propriété. Azad rit aux éclats, il se tortille sur sa chaise.

Je transpire maintenant. Je me lève pour aller me rafraîchir aux toilettes. Dans le miroir de la salle de bains, je me regarde mais ce n'est pas la femme de trente ans que je vois, non, c'est une petite fille de cinq ans qui me fixe avec ses grands yeux noirs interrogateurs.

Je reviens dans le salon et je vois sur le canapé disposés, alignés, sagement assis, mes jouets, et Azad au milieu d'eux qui me sourit d'un air un peu niais.
Je me dis au même instant que je dois absolument en parler à un psy. Je vais démarrer une analyse. J'étouffe, je manque d'air.
Je m'assois et je dis à mon ami kurde que je suis très fatiguée et que je devrais peut-être rentrer maintenant.

Il ne comprend pas, insiste, mais c'est au-delà de mes forces.

Je me dirige vers la porte pour sortir mais je m'arrête net. Je vois assis sur un tabouret, la tête penchée sur une petite pierre avec une aiguille dans la main, mon autre oncle. Il me sourit, lui aussi avec une tristesse insondable et la bouche presque effacée, floutée. Il me tend la pierre. Je fixe cette pierre. Les six lettres de mon prénom sont magnifiquement gravées dessus. J'ai les larmes qui montent, je me mords la lèvre. Azad me demande si ça va et pourquoi je reste plantée là, à regarder le sol. J'arrache la pierre des mains de mon oncle et me sauve. Je cours dans la rue et je crie à ces fantômes de partir, de me laisser, de ne plus revenir me hanter. Je jette la pierre loin devant moi. Elle bute sur une porte métallique et retombe abandonnée sur le pavé parisien.

Un taxi est là. Je saute dedans et pendant tout le trajet, je pleure en silence. Je pleure parce que j'ai peur de finir folle.

Je suis de retour chez moi.

Ma grand-mère est assise dans ma chambre. Encore une hallucination. Je n'en peux plus, je vais hurler.

Mais son sourire me calme.

— Assieds-toi Maryam. Je te verse une tasse de thé.

— Maman Massoumeh, c'est horrible. Je ne peux plus raconter mes histoires persanes. J'ai des hallucinations à la place.

— Tu vas désormais les raconter autrement. C'est bien, ce qu'il t'est arrivé ce soir. C'est de bon augure.

— De bon augure ? Mais qu'est-ce que tu racontes ?

— Les fantômes sont venus te hanter : ils sont venus te dire quelque chose. Ils avaient le regard triste.

— C'est parce que je les déçois ?

— Tu dois les raconter autrement. Tu ne peux plus te contenter de jubiler et de te vanter comme ça de ce que tu appelles ta vie romanesque.

— Les raconter autrement ? Mais je les raconte très bien. Les gens adorent ! Ils applaudissent et en redemandent !

— Oui je sais. Tu es conteuse depuis toute petite. Tu as toujours aimé inventer un tas d'histoires.

— Alors où est le problème ?

— Rends-leur hommage. Raconte-les non pas avec une modestie feinte et une fierté cachée mais de l'intérieur Maryam, de l'intérieur. Laisse ta douleur s'exprimer.

D'un coup, tout a disparu. La grand-mère, les tasses, le thé. Il n'y a plus que moi dans cette chambre. Je tire les rideaux et je me demande ce qu'il y a à l'intérieur. Et puis d'abord, c'est quoi « de l'intérieur » ? Ça veut dire quoi ? Je me suis toujours méfiée de ce mot, « l'intérieur », parce que je l'associe à une illusion, quelque chose de fuyant que l'on poursuit en vain. Mais la grand-mère a parlé : mon show pathos-paillettes ne prend plus. Je regarde la table basse posée devant moi sur laquelle il y avait, quelques instants avant, deux tasses de thé. Sur sa surface maintenant vide, je dépose un premier masque. Le masque de la douleur refoulée.

Il était une fois

Un père, une mère et une fille
Le père avait la forme d'une ombre se faufilant
sur les murs
La mère, le visage caché, portait une longue robe
balayant la terre
La fille, silhouette légère, avait les pieds suspen-
dus dans l'air
Et tous les trois gardaient un secret dans le
creux de la main
Sur leur paume, un mot était gravé : EXIL

La fille n'avait plus de jouets
On raconte qu'elle les avait échangés contre les
lettres de l'alphabet
La mère n'avait plus de sourire
On raconte qu'elle l'avait échangé contre une
poignée de souvenirs
Le père n'avait plus de jeunesse
On raconte qu'il l'avait échangée contre quelques
pièces de monnaie
Et tous les trois peu à peu devenaient des
étrangers

La terre se dérobait sans cesse sous les pieds
de la fille
La mémoire s'échappait sans cesse de la tête
de la mère
Les pièces manquaient toujours dans les mains
du père
Et tous les trois peu à peu perdaient le goût de
la vie

Alors, la fille détourna ses yeux de la terre pour
apprendre à voler
La mère chassa la mémoire pour apprendre à
oublier
Le père ne compta plus ses sous pour apprendre
à rêver
Et tous les trois se mirent à rire

Leur rire résonnait si loin
Qu'il pénétra jusque dans les oreilles de leur
famille
Leur rire résonnait si fort
Qu'il fit trembler leur terre délaissée
Leur rire résonnait si haut
Qu'il réveilla leur mémoire engourdie
Mais tous les trois, à force de rire, avaient les
larmes aux yeux à présent

Et leur rire pourtant si beau pourtant si fort
Résonnait comme résonnent les pleurs à pré-
sent
Les pleurs
D'un père, une ombre se faufilant sur les murs
D'une mère, un visage caché portant une longue
robe balayant la terre

D'une fille, une silhouette légère aux pieds suspendus dans l'air
Et tous les trois gardaient un secret dans le
creux de la main
Sur leur paume un mot était gravé : EXIL.

DEUXIÈME NAISSANCE

« Il ne faut pas être moi, mais il faut encore moins être nous. La cité donne le sentiment d'être chez soi. Prendre le sentiment d'être chez soi dans l'exil. Être enraciné dans l'absence de lieu. Se déraciner socialement et végétativement. S'exiler de toute patrie terrestre. »

Simone WEIL
La Pesanteur et la grâce

15 m²

Nous sommes devant une grande porte en bois. Mon père dépose les valises, appuie sur un petit bouton et pousse la porte. Nous montons les marches. Sur les marches coule un lourd tapis rouge avec des arabesques marron et jaunes dessinées dessus. C'est agréable de poser le pied sur ce gros tapis.

À chaque étage, il y a deux grandes portes, deux appartements. Elles sont très belles ces portes, brillantes, vernies, imposantes. Je remarque aussi la sonnette, dorée ou argentée sur le côté droit.

Au 3ᵉ étage, une porte s'ouvre lentement à notre passage. À travers l'entrebâillure, j'aperçois le visage d'une vieille femme qui nous épie de son œil curieux sans dire un mot.

Nous montons encore et encore mais je remarque, chose étrange, que passé le 4ᵉ étage, les portes deviennent moins belles, moins imposantes, les murs se fissurent, la peinture tombe par endroits et au 5ᵉ étage, d'un coup le tapis rouge disparaît. C'est comme une poudre magique qui ne ferait plus d'effet au fur et à mesure que nous montons, dévoilant une réalité laide, crue, laissant tomber lentement son manteau de luxe. Une cendrillon qui perdrait un peu de sa beauté à chaque étage. Ça commence à sentir l'humidité, la moisissure et la pauvreté.

Nous sommes enfin arrivés au 6e étage. Ici, il y a quatre petites portes écaillées d'un bleu douteux avec une seule serrure au centre. Elles sont alignées sur le même palier. Une cinquième porte avec écrit dessus W.-C. Je ne comprends pas ce mot. Le plancher est défoncé par endroits. Mon père nous sourit, gêné. Il est essoufflé, du revers de la main, il essuie son front et bredouille quelques mots de bienvenue puis il ouvre la porte.

La porte ne donne que sur une seule pièce, un studio de 15 m².

Je cherche les toilettes, nos toilettes, je ne les vois pas. Je demande, inquiète, à mon père où sont les toilettes. Elles sont sur le palier et elles sont communes. C'était donc ça, la porte avec W.-C. écrit dessus. Horreur à l'idée de devoir partager mon intimité avec des inconnus. Et la douche ? Il n'y en a pas. Mon père nous promet d'en fabriquer une bientôt. Il s'efforce de sourire pour cacher son embarras et sa honte. Ma mère tombe affligée sur l'unique lit de l'unique pièce. Son mutisme déjà bien marqué s'aggrave.

J'observe la pièce : il y a un lavabo, une petite télé, un placard, une table, trois chaises, une plante. Une fenêtre, j'y cours. Je vois la rue, les toits parisiens, la bouche de métro. Nous sommes là tous les trois, nichés au 6e étage sans ascenseur d'un immeuble parisien dans le 18ᵉ arrondissement, enfin réunis après maintes difficultés et épreuves, et la seule chose à laquelle je pense ce sont ces toilettes communes que j'ai peur d'utiliser.

Les croissants

Mon père a acheté des « croissants » à la boulangerie d'en face. Il les étale soigneusement sur la table en expliquant que les Français prennent ce genre de choses au petit-déjeuner. Il nous fait répéter leur nom pour qu'on le retienne.

Ma mère n'en mange pas, moi non plus. Elle n'a pas faim. Moi, j'ai faim mais je veux du lavâsh, ce pain iranien blanc si fin qu'on dirait du papier, ou du nouné-singaq[1], un autre pain plus épais qu'on fait cuire dans un four sur un lit de pierres brûlantes, parfois une ou deux pierres restent accrochées au pain. Je veux aussi du thé noir et du panir-é-Tabriz[2].

Je le dis à mon père. Il soupire et se fâche. Ici, on est en France, je ne peux pas descendre dans la rue et vous acheter ces produits, il faudra vous habituer. On n'est plus en Iran, alors faites-moi plaisir, mangez ce que je viens d'acheter.

---

1. En persan, singue veut dire « pierre », donc littéralement « pain de pierre ».
2. De la feta iranienne.

Je revois notre maison à Tehranpars. La petite cuisine où ça sent le thé noir et une odeur de nouné-singaq encore chaud. Je revois ma mère qui découpe une large tranche de panir pour la déposer dans une assiette. Il y a aussi cette plante grimpante dans le salon qui recouvre les murs et monte jusqu'au plafond. Ma grand-mère disait que ce genre de plante finissait par mettre à la porte l'occupant des lieux. Chaque fois que j'ai eu cette plante chez moi, j'ai fini par déménager très vite.

Je me souviens aussi du son de la radio toujours ouverte, le marchand de betteraves qui passe dans la rue en criant, mon père qui répare quelque chose dans son garage, j'entends le bruit de son marteau et du métal qu'il frappe.

Je suis assise sur ma chaise préférée avec la poupée que ma grand-mère m'avait rapportée d'Allemagne, j'étais si fière de cette poupée car elle venait de loin. Quand je pense que j'ai dû aussi la donner aux enfants pauvres du quartier. J'attends que ma mère me fasse des petites bouchées de pain avec du fromage et du beurre. Mais je n'aime pas quand elle met trop de beurre. Mon impatience d'aller jouer avec ma meilleure amie, Shahla. Je sais qu'elle s'impatiente aussi. Elle habite juste en face de chez nous. Elle aime porter mes vêtements et emprunter mes jouets. Ses vêtements à elle sont les mêmes que portent les garçons. Moi, je lui emprunte ses pantalons et elle, mes robes. Quand on échange nos vêtements, elle devient davantage fille et moi garçon. Ça me plaît beaucoup.

Mais qu'est-ce qu'on fait ici ? Dans ce trou qui sent l'humidité et la misère, avec la beauté réservée seulement aux quatre premiers étages de l'immeuble.

Nous sommes tous les trois assis à cette table garnie de cette chose impossible à prononcer. Nous ne disons rien.

Je pense à ma valise et à tous ces vêtements neufs qu'elle contient, on m'a offert de jolies robes pour notre départ d'Iran. Ça m'apporte une petite joie soudaine et furtive.

Il y a un silence désagréable dans la pièce.

Je regarde ces croissants posés tristement sur la table, vierges de souvenir, sans saveur familière, que ma mère et moi boudons obstinément.

Mon père finit par tout manger, avec rage presque, sans dire un mot, les yeux rivés sur ce qu'il mange.

2012 – *Les hutongs de Pékin*

J'ai 32 ans. Je vis en Chine depuis deux ans. Je donnerais n'importe quoi pour un vrai croissant, ne serait-ce que pour leur odeur, cette odeur des boulangeries françaises qui vous pénètre dans le nez au détour d'une rue. J'en ai la nostalgie. Je ferme les yeux et je cherche leur odeur dans ma mémoire en pédalant dans les vieux hutongs de Pékin.

Le square

Le week-end, parfois, nous nous promenons dans le quartier avec ma mère. Nous y avons découvert un « square ». Les enfants viennent jouer là après l'école. Les mamans sont assises sur des bancs en bois avec une barricade de poussettes autour d'elles. Elles papotent, fument et grignotent. Les enfants crient, courent, pleurent, rient, se balancent du sable ou des jouets ; parfois des coalitions se forment pour exclure un enfant plus vulnérable, parfois ce sont de violentes amitiés qui naissent, des complicités soudaines le temps d'un instant et d'un jeu ; parfois c'est le drame, et alors la douleur et le chagrin dégoulinent sur leurs joues sales. Et tout ce monde a l'air d'adorer le square.

C'est un endroit que je n'aime pas. Je m'assois donc toujours près de ma mère sur le banc, collée à elle, ce qui la fait enrager. Elle me répète d'aller jouer avec les autres enfants mais je n'ose pas. J'en ai pourtant très envie mais une force me maintient clouée au banc.

— Pourquoi tu ne te lèves pas pour aller jouer avec ces enfants ?

— Je veux pas. Ils sont trop sauvages.

— Mais certains ont l'air plus calmes, allez, lève-toi, tu verras, tu vas t'amuser.

— Non.

Elle soupire profondément.

— Et toi, maman, pourquoi tu parles pas aux autres mamans ?

— T'as vu mon français ? Elles vont se moquer de moi. Je ne comprendrai rien non plus à ce qu'elles me diront.

— Mais pourquoi on vient ici alors ?

— C'est intéressant de les observer, tu ne trouves pas ?

Drôle d'image que cette mère et sa fille, immobiles au milieu de toute cette agitation, deux statues posées sur un banc, un peu pathétiques, chacune en proie à ses angoisses, s'excluant de la vie sociale qu'elles observent pourtant avec avidité.

Septembre 1998

Je suis avec ma mère et nous retournons dans ce quartier de Max Dormoy, nous sommes en face de cet immeuble dans lequel nous avons habité pendant un an.

Une tristesse sourde nous envahit, nous n'osons pas monter, il y a un code maintenant et nous n'avons ni le code ni l'envie. Nous marchons dans les rues, aux alentours, nous nous arrêtons devant l'entrée d'un square, nous nous regardons : nous avons reconnu le fameux square. Nous entrons et nous nous asseyons sur un banc mais le square a changé. Nous avons du mal à le retrouver. Et puis il est vide à cette heure de la journée, nous n'avons pas grand-chose à nous mettre sous les yeux. Un homme assis sur un banc fume une cigarette, l'air pensif. Une vieille dame émiette du pain sec pour les pigeons. Un balayeur pousse quelques feuilles. Pas de cris d'enfants. Pas de poussettes. Pas de mamans qui jasent. Je regarde ma mère comme pour avoir une prise sur le réel. Je sens que tout s'évanouira un jour comme ce square. Aucun lieu ne sera pareil à ce qu'il était autrefois.

Nous sortons. Nous sommes comme deux fantômes errants et nous ne savons plus ce que nous sommes venues chercher ici. Nous parlons à peine, nous comprenons vaguement ce qui se passe en nous.

Qu'avons-nous enterré là, dans ces rues, en haut de ce 6e étage, dans cette chambre de bonne, dans cette bouche de métro où on s'engouffrait pour aller à mon école chaque matin et revenir chaque soir ; à chaque station, qu'avons-nous laissé ?

Mai 2014 – Istanbul – Karaköy

Ma mère est venue me voir à Istanbul, où j'habite depuis un peu plus d'un an. Nous sommes assises devant le Bosphore, près du pont Galata, un sandwich au poisson dans les mains, un « balik ekmek ». Nous observons la vie stambouliote autour de nous. Les vendeurs qui font griller le maquereau, ceux qui vendent des jus de grenade et d'orange, les réfugiés syriens qui mendient et espèrent une petite pièce, les gitans qui jouent de l'accordéon pour quelques pièces aussi, les Africains qui vendent des montres, les chats partout qui nous regardent et patientent dans l'espoir d'un petit morceau de poisson, les bateliers qui accrochent leur barque, les touristes heureux d'être là, leur guide sur la table et l'appareil photo pendu à leur cou, et ma mère qui savoure son « balik ekmek » avec ses grands yeux qui dévorent toujours le monde.

Nous continuons d'observer, d'abord en silence, chacune de son côté. C'est toujours ainsi que nous procédons. Nous devons digérer ce que nous voyons puis nous commentons, nous échangeons, nous partageons nos impressions. Parfois, nous déduisons des choses passionnantes sur l'existence, la vie et la mort. Nos observations nous emportent très loin.

Je me souviens de ce vers de Hâfez qui disait : « Assieds-toi sur les bords d'un ruisseau, et vois le passage de la vie... »

Contempler le monde qui nous entoure. C'est toi qui m'as appris ça. Les heures que nous avons passées dans ce square, puis plus tard dans les cafés parisiens où on fumait un paquet de clopes, assises sur des bouts de trottoir, sur des bancs dans les parcs, sur des bords de hutongs à Pékin, sur les rives du Bosphore, dans les allées sinueuses du grand bazar de Téhéran, juste ça, regarder et commenter ce qui nous entoure : les gens, les attitudes, les démarches, les allures et les silhouettes, les chiens, les chats et les oiseaux, le végétal, les immeubles, les objets derrière les vitrines, les enseignes, les engins roulants, tout passait dans notre grand laboratoire-observatoire de la vie.

Ce square du 18e arrondissement de Paris était le prélude d'une longue complicité d'observatrices.

Des lettres

La petite fille de six ans et sa mère sont à la maison. La petite fille regarde sa mère, qui regarde par la fenêtre. La mère parle de moins en moins. Sa langue est réduite à la communication minimale, aux échanges utiles et vides du quotidien.

La mère regarde pendant des heures par la fenêtre, assise sur une chaise. Elle écrit des lettres face à cette fenêtre. Des lettres envoyées en Iran, à sa mère, à son frère en prison, à son amie. La mère vit là-bas. Elle est encore en Iran. Ici, la vie s'est arrêtée. La fenêtre, c'est le chemin ouvert qui lui permet de fuir là-bas. C'est son évasion. Ce studio de 15 m² est étouffant. Paris est étouffant pour elle. La France entière.

Elle scrute l'horizon, elle y voit danser des lettres emportées par le vent entre ici et là-bas. Des lettres qui partent, des lettres qui arrivent, des lettres qui attendent, des lettres qui répondent, des lettres qui pleurent, des lettres qui se souviennent, des lettres qui gardent la mémoire d'un lieu de peur qu'il ne disparaisse, des lettres suspendues comme une longue guirlande de mots allant de la mansarde parisienne aux toits des maisons de Téhéran.

Écrire des lettres et attendre les réponses à tes lettres. Tu as vécu comme ça, pendant dix ans, dans un monde épistolaire. Un monde silencieux. Tu me demandais d'y ajouter des dessins ou d'écrire quelques mots dans mon persan maladroit. Tu insistais pour que ton mari écrive aussi quelque chose. Tu voulais que tout le monde entre dans ton monde sans vie de lettres, de mots, de fantômes. La nostalgie, ce trou noir dans lequel tu voulais te noyer et nous avec.

Déjà en Iran, les rêves de la mère disparaissaient peu à peu. En France, le peu qu'il restait tombait évanoui, un par un, sur la moquette de la chambre, juste en dessous de sa chaise.

Lambeaux de son exil forcé. Ses projets, ses ambitions, ces petits bouts de rien auxquels on tend et qui construisent une vie. Tout s'effritait et je te voyais t'effacer peu à peu, devenir de plus en plus floue, les traits de ton visage s'estompaient, ta voix devenait de moins en moins audible, tes gestes avaient la lenteur des personnages apparaissant dans les rêves, ni tout à fait réels ni tout à fait chimères.

Pendant dix ans tu as attendu en France. Tu as attendu le retour. Tu ne faisais rien d'autre qu'attendre l'imaginaire retour. Auprès de ta mère, de tes frères, de ton pays. Mais il n'y avait plus de pays, plus de patrie, plus d'odeur. Tu regardais par la fenêtre du 6e étage la vie devant toi. Une boulangerie au coin de la rue, un restau chinois avec des canards laqués suspendus à des crochets, un tabac, la bouche de métro.

La douce tristesse dans tes yeux. La timidité, tu n'osais parler cette langue étrangère, à la place des mots, tu souriais. Le sourire qui s'excuse, le sourire gêné de ceux qui ne parlent pas la langue du pays.

J'aurais aimé ramasser les lambeaux de tes rêves, les sauver, les enfiler comme des perles dans ma guirlande de mots à moi, et l'accrocher au sommet d'un arbre pour que ça bouge et vive encore.

Te réveiller. Te ressusciter. Noircir tes traits, mettre du rouge sur tes joues, sur tes lèvres, t'injecter de la vie pour que tu chantes, tu ries, tu cries mais rien à faire, tu te diluais silencieusement dans une eau imaginaire.

Des dessins

La petite fille dessine beaucoup. Sur le sol, assise, elle trace des traits. Ses dessins sont comme des cauchemars, ils font peur. Elle y exprime sa souffrance comme elle peut du haut de ses six ans. Elle raconte toujours la même chose : un papa et une maman qui pleurent devant le corps blessé de leur enfant qui gît sur le sol. Sur un autre dessin, c'est le père qui saigne, un trou ensanglanté à la place du cœur, la fille et la mère se tiennent la main comme deux endeuillées. Ou bien c'est la mère qui pleure, le soleil qui pleure, la lune qui pleure, le monde entier semble disparaître dans une mer de larmes face au corps mort de l'enfant tombé en bas de la page. Sur une autre feuille, on voit le père et la mère, deux silhouettes gigantesques, leur bras droit est un serpent et leur bras gauche est un fouet et leur petite fille qui se tient entre eux est minuscule.

J'ai dessiné mes peurs et mes traumatismes durant un an. L'année de notre arrivée en France. Et puis un jour, j'ai arrêté. Mes parents inquiets culpabilisaient en voyant ces dessins, mais ils n'ont jamais fait la moindre démarche pour trouver une solution. Ils se sont contentés d'en parler à leurs amis qui ne savaient pas trop quoi en penser si ce n'est qu'une enfant exilée à cinq ans doit forcément être un peu traumatisée et que ça passera avec le temps. C'est normal.

2008 – Paris 6ᵉ – Cabinet
d'un psychanalyste lacanien

Une grande pièce. Un beau bureau en bois style Louis-Philippe derrière lequel se tient un homme chauve, la cinquantaine. Un fauteuil sur lequel je suis assise. Les ressorts de l'assise sont lâches à cause de tous ces culs qui sont venus se réfugier dessus, les accoudoirs sont très hauts, ce qui me donne un air un peu ridicule et enfantin avec mes bras surélevés et écartés ; j'ai l'impression que ces accoudoirs m'enferment : ce fauteuil, c'est déjà une prison.

Deux grands portraits de part et d'autre de son bureau accrochés au mur, l'un représentant Freud à la sévère figure, un cigare à la main, l'autre le visage sensuel de Marilyn Monroe, en extase, les yeux mi-clos, et en dessous et parfaitement au milieu de ces deux portraits le crâne luisant du psychanalyste lacanien aux yeux de carpe.

Je lui avais ramené mes dessins terrifiants la séance précédente. Il les a observés. J'attends le verdict. Il me les rend, soupire profondément et lâche le morceau : votre souffrance n'est pas liée à l'exil... l'exil peut être vécu par un enfant comme une expérience palpitante, un nouveau départ, l'exploration d'un pays inconnu... votre souffrance est liée à la relation torturée qui s'est nouée entre votre mère, votre père et vous.

Je ne dis rien. Je serre les dents. Cette obsession de tout ramener à papa et à maman m'agace au plus haut point. Le petit triangle torturé et asphyxiant dans lequel cet homme veut m'enfoncer depuis le début de nos séances.

Ces dessins sont ensuite venus hanter mes nuits. À sept ans, nous avions déménagé dans un autre quartier de Paris, rue Joseph-Dijon et dans un appartement plus grand et confortable. J'avais une chambre à moi. Ce déménagement a été un nouveau bouleversement pour moi, le spectre de l'exil s'était glissé dans tout changement de lieu, même minime. Le moindre déplacement spatial m'angoissait avec une force inouïe. Je me réveillais en pleine nuit en sueur parce que j'avais rêvé de serpents qui venaient du fond de mon lit pour me mordre les pieds. J'allais me réfugier dans le lit de mes parents qui se mettaient en colère, surtout mon père, car ignorant tout de la souffrance et de la terreur qui m'habitaient, ils ne voyaient là que caprice et désobéissance de ma part.

Je me souviens très bien de ces cauchemars répétitifs. J'étais paralysée dans mon lit, sans aucun secours. Encore une fois, j'avais l'impression que les deux êtres censés m'aimer et me protéger étaient totalement indifférents à ma douleur, ils ne voyaient qu'une seule chose : je les dérangeais dans leur sommeil. Mais je ne lâchais rien, je retournais dans leur chambre et je me blottissais dans un coin, parfois au pied du lit, par terre comme un chien, me faisant toute petite, pour leur faire pitié. Mon père se fâchait et me ramenait dans ma chambre. Je hurlais de plus belle pour les réveiller, pour les empêcher de dormir, parfois je m'accrochais à leurs draps, à la porte, à tout ce que je trouvais sur mon passage. C'étaient des scènes épouvantables. Je criais que les serpents me tueraient si je retournais dans mon lit. Mon père m'y emmenait de force et me clouait au matelas. Je me sentais abandonnée, à moitié morte d'avoir tant crié et pleuré.

Ma mère était de plus en plus inquiète. Elle avait demandé à une amie l'adresse d'un psy. Elle était décidée à m'y emmener quand soudain une rencontre a tout changé.

Shirin

La famille Ahmadi a débarqué un jour chez nous. Un couple de réfugiés iraniens et leur fille de dix ans, Shirin. Le père connaissait le mien, ils avaient milité ensemble à Téhéran. Nous avions accepté de les héberger le temps qu'ils trouvent un appartement. Ils y ont passé trois mois, les trois mois de l'hiver 1988.

Shirin est devenue ma compagne de jeux. Nous passions des heures à jouer ensemble. Elle était joyeuse, pleine de vie, drôle. Une complicité était née entre nous. Elle dormait avec moi dans ma chambre et mes cauchemars ont cessé. Enfin, je dormais paisiblement et le matin, en me réveillant, je la voyais par terre avec ses longues jambes maigres et poilues qui dépassaient du matelas, le drap la recouvrant à moitié et ses longs cheveux noirs emmêlés autour de son visage et de son cou.

Elle était très poilue et pas très jolie mais sa présence dans notre maison était comme une bénédiction qui avait réussi à chasser tous mes cauchemars et mes angoisses. Elle rayonnait, allant d'une pièce à l'autre, parlant beaucoup, riant fort, se mêlant de tout avec une curiosité de vieille commère, posant des questions à tout bout de champ.

Elle se faisait souvent gronder et frapper par ses parents et même mon père répétait en soupirant qu'il n'avait jamais vu une fille aussi bavarde. Mais elle se fichait des remontrances et des claques et répandait son flot de paroles de pièce en pièce, tournoyant sur elle-même. Je la regardais jouer son spectacle sur la scène de notre amitié, subjuguée par tant d'énergie. J'étais son meilleur public. Je riais à toutes ses bêtises et à ses histoires drôles. Je m'asseyais devant elle et elle démarrait les innombrables imitations des membres de sa famille, de ses amis, de ses institutrices en Iran, singeant leur voix, leurs gestes, leur démarche, inventant toutes sortes d'histoires à leur sujet.

Elle vient d'enfiler le foulard et le manteau de sa mère. Elle a pris deux gros coussins qu'elle a mis sous son pull à l'endroit de ses fesses et de son ventre. Elle a pris un crayon noir et elle a accentué son duvet au-dessus de sa bouche. Elle imite sa maîtresse d'école. Une femme apparemment très méchante.

— Shiriiiiin, viens au tableauuuuuu.

— Oui, tout de suite, Madame.

— Fais-moi cette multiplication, et si tu te trompes, je t'arrache un poil de moustache, juste là au-dessus de ta bouche.

Elle imite son père. Son corps maigrichon flotte dans le pantalon et la chemise beaucoup trop grands de son père. Elle s'est fait une barbe et porte des lunettes. Elle prend une voix grave et met en avant son ventre en marchant.

— Femme, va nous faire à manger. J'ai faim. Et toi, fille, range un peu cette maison. N'oubliez pas, c'est moi qui commande ici.

Là, elle se gratte les fesses et fait un bruit de pet avec la bouche.

Je ris aux éclats en me renversant sur le lit.

Quand je sortais de l'école, je courais pour la retrouver, pour goûter à sa joie de vivre. C'était comme si j'avais un trésor à moi caché dans la maison et qu'il me fallait vite rentrer pour m'assurer qu'il était bien là. Je délaissais mes autres amis de l'école, ils ne comptaient plus, ils m'ennuyaient, ils n'avaient pas la saveur de Shirin.

— Shirin, tu es là ?

Je cours dans la maison. Elle n'est pas dans la cuisine, ni dans le salon, ni dans ma chambre. Ma mère me dit qu'elle est sortie. Je l'attends. Je m'impatiente. J'entends ses pas dans l'escalier. Je saute sur la porte. Elle est là, coiffée d'un gros bonnet en laine qui lui cache presque les yeux. Elle est délicieusement laide.

Nous fonçons dans ma chambre et je m'assois sur le lit. Elle est plantée devant moi, sur la scène. Je la regarde. Elle démarre son spectacle, me racontant toutes les péripéties qui lui sont arrivées à l'extérieur, exagérant les faits, déformant outrageusement la réalité.

Infatigable Shirin, tu as apaisé sans le savoir l'une des périodes les plus angoissantes de ma vie. Le gros trou noir de l'Iran au-dessus duquel j'avais peur de me pencher. Tu m'as pris la main et tu t'es penchée avec moi. Tu y as saupoudré du rire et de l'enfance.

Magicienne Shirin, tu as transformé la pesanteur en grâce.

Jamais quelqu'un n'a aussi mieux porté que toi son prénom : Shirin veut dire « sucré » en persan.

Moi, je ne joue pas

Je suis assise sur un banc, seule, dans une cour avec de grands arbres et, au fond de la cour, un mur sur lequel est peinte une fresque qui représente des enfants qui jouent, reflet exact de ce qui se passe autour de moi. Des enfants jouent à la marelle, à la corde à sauter, frappent dans un ballon, font glisser des billes, tapent sur des images, crient 1, 2, 3 soleil, se cache-cachent, deviennent des chats perchés, et écoutent ce que Jacques a dit.

Mais moi je ne joue pas.

Tous ces enfants qui crient et qui s'amusent et pas un seul qui m'appelle.

Première expérience de la solitude : je n'ai personne avec qui jouer.

Alors je fais semblant d'être occupée, je cherche quelque chose par terre comme si j'avais perdu un objet, je me promène dans la cour, je ramasse des feuilles tombées des arbres, je joue à la fière qui a choisi d'être seule. Ne surtout pas paraître misérable aux yeux des autres enfants. Cela m'angoisse : combien de temps va durer cette mascarade ?

Les enfants me frôlent en courant. Les toucher, leur parler, mais comment ? Je ne comprends pas leur langue et personne ne comprend la mienne. Comme j'ai détesté ces premières récréations.

Alors la petite fille aux grosses boucles noires imagine des dialogues avec des amis imaginaires. Elle s'invente des histoires. Des histoires qui consolent. Des histoires qui remplissent la bouche du réel.

Elle est une reine prisonnière d'une langue étrangère, elle envoie des messages secrets dans sa langue maternelle à un courageux chevalier qui doit venir la délivrer de ces mots barbares.

Elle est une sorcière qui a inventé une potion magique : il suffit de la boire pour parler sur-le-champ une langue étrangère à la perfection.

Elle est une scientifique renommée qui a su mettre en place un système d'apprentissage des langues extrêmement performant grâce auquel en une semaine on peut intégrer toutes les langues du monde.

Elle enfile ses histoires les unes à la suite des autres et promène dans la cour derrière elle la longue traîne de son imagination consolatrice, sillon que je trace déjà à cet âge-là sur le sol du réel pour nettoyer ou embellir la vie.

Il était une fois

Une Reine habitant un palais dans un coin du désert. Ses cheveux étaient si longs qu'ils lui enveloppaient le corps de la tête aux pieds. Ses pieds sculptés de marbre l'empêchaient de marcher et ses yeux avaient la couleur du safran mêlé à la terre brûlée. Ses mains, ses petites mains s'étaient fanées au fil des années et au bout de ses doigts, brindilles desséchées, perlaient des gouttes de rosée.

Ses souvenirs s'étaient déposés avec le temps sur sa peau, dessinant un labyrinthe de rides comme les lignes d'un livre. Elle pouvait chaque fois qu'elle le désirait écarter un coin de ses cheveux pour lire sur son corps un fragment de sa vie. Alors elle saisissait un miroir brisé et son regard mouillé de nostalgie parcourait une ride puis une autre et encore une autre jusqu'à ce que la nuit vienne lentement refermer le livre.

Le sol de son palais était couvert d'éclats de verre. Le vent qui soufflait jour et nuit avait détruit les deux seules fenêtres et à travers ces deux bouches béantes, la voix lointaine des humains glissait tout doucement comme un secret dans les oreilles émues de la Reine.
Et elle désirait tant à son tour leur murmurer son secret. Ouvrir devant eux le grand livre de sa vie. Déposer dans leur main des morceaux de mémoire. Son désir était si fort qu'elle s'était mise à raconter à voix haute ses souvenirs. Elle priait alors le vent d'emporter ses paroles, loin, très loin, pour que les hommes entendent son histoire, là-bas, quelque part dans le désert.

Les jours expiraient chaque nuit et les nuits renaissaient chaque jour... et un matin la Reine rendit son dernier souffle. Ses longs cheveux lui enveloppaient le corps de la tête aux pieds, comme un suaire.

Et le vent n'emporta jamais bien loin ses paroles. La plupart des mots étaient venus mourir à ses pieds et les plus chanceux avaient franchi les fenêtres mais, pris de vertige, étaient aussitôt retombés devant la porte du palais.

Il était une fois

Un peuple exténué par la traversée du désert. Les pieds meurtris, la peau brûlée et le corps endurci par les intempéries. À la tête du groupe, un vieillard. Ses yeux injectés de feu, de sable et de vent scrutaient l'immense espace à la recherche d'un lieu où se reposer, mais surtout d'un lieu où son peuple pourrait enfin demeurer.

Il vit au loin, comme un mirage, un palais surgir de la terre. De la main, il fit signe à son peuple de le suivre. À la grande porte du palais, il frappa trois coups secs.

Le silence leur murmura que ce lieu était en ruine depuis des siècles.

La poussière leur chuchota que ce lieu abritait le tombeau d'une Reine.

Le peuple, effrayé, recula d'un pas. Mais le vieillard, lui, s'avança. Il ramassa devant la porte une poignée de mots gisant sur le sable, les mit précieusement dans sa poche et son corps disparut dans la demeure mystérieuse.

On ne sait ce qu'il vit, on ne sait ce qu'il fit. Quand il en sortit, dans un soupir, il dit :
« Désormais ce palais sera notre demeure, c'est ici que nos femmes avec amour prêteront la vie et que nos vieillards avec dignité finiront par la rendre ».

« Quel est le nom de ce palais ? » dit une voix curieuse parmi la foule.

Alors le vieux sage qui savait inventer autant de mots qu'il existe de choses pointa son doigt vers le palais et regarda son peuple :

« Je le nomme le Royaume de l'Exil ».

« Le Royaume de l'Exil. »

La foule, étonnée, se mit à répéter tout bas ces mots.

Chacun les ressassait comme pour en déchiffrer le mystère.

Et ce brouhaha monta jusqu'aux deux fenêtres brisées du palais, pénétra dans la chambre de la Reine, qui n'était plus qu'un tas de sable sur un trône, que le vent balaya une dernière fois.

La cloche sonne

Je vois les enfants courir dans tous les sens en criant. Moi, je reste assise sur ce banc. Je suis incapable de bouger. Chaque élève se range dans une file et suit un adulte, le maître ou la maîtresse, pour monter en classe.

Je ne sais pas où me ranger. Quelle est ma file ? Qui dois-je suivre ? Quel groupe est ma classe ?

J'ai raté ma rentrée et je ne vois aucun visage qui ressemble à cette grande dame noire maigre aux cheveux crépus qui est mon institutrice et qui m'a accueillie il y a quelques jours avec la directrice pour me présenter aux autres élèves.

Je ne reconnais aucun de ces visages d'enfant que j'avais brièvement entrevus le jour de la visite.

Je suis totalement perdue, seule, je me suis fabriqué une bulle qui doit probablement me cacher aux yeux des autres parce que personne ne me voit. Je n'existe pas ?

Je vais attendre un peu. Sûrement, un adulte va venir s'occuper de moi. Mon institutrice va apparaître et m'emmener en classe.

Une par une, les files d'élèves rangés deux par deux montent en classe derrière leur professeur.

Il ne reste plus qu'un seul groupe et celui-ci, comme les autres, monte aussi en cours, passant devant moi, comme si j'étais invisible.

Mais non, personne ne prête attention à moi, absolument personne.

La cour est maintenant vide. Je jette un regard à la fresque murale. Je lève les yeux vers les arbres.

Une angoisse sourde monte en moi. Une force me pousse à partir, à fuir cette école. Je veux m'en aller. Je me lève. Je me dirige vers la grande porte bleue, je passe devant la loge de la gardienne sans qu'elle me voie et je tire de toutes mes forces sur la porte et je sors.

Je suis dehors. Je me mets à courir. Je ne veux pas qu'on m'attrape ni qu'on me dénonce. Je me sens coupable de fuir comme ça. Je continue de courir. Je ne sais pas où je vais. Je veux rentrer à la maison. Comment y aller ? Quel métro prendre ? Je suis désemparée, abandonnée. étrangère. Je m'arrête et je me mets à pleurer.

J'entends une voix qui m'appelle. Je la cherche. La voix devient de plus en plus claire. C'est sa voix. Je reconnais le timbre de ma grand-mère. Je tourne la tête et je la vois assise sur un banc, à côté de moi, là, sur le trottoir. Elle est là. Je n'en reviens pas. Je cours dans ses bras et je m'assois sur ses genoux, la serrant très fort contre moi.

Elle me caresse les cheveux, lentement. Elle prend mon visage dans ses mains et me regarde avec toute la douceur possible dans les yeux pour me consoler.

— Maryam, tu dois retourner dans ton école. Pourquoi as-tu fui comme ça ?

— Je suis invisible dans cette école. Je veux pas y retourner.

— Tu n'es pas invisible. Moi, je te vois très bien.

— Toi tu es ma grand-mère. Tu me connais. Eux, ils me connaissent pas.

— Ils te connaîtront. Ils apprendront à te voir comme je te vois. Allez, lève-toi et retournes-y.

— Non, je veux rester dans tes bras.

— Tu es une survivante, ne l'oublie jamais.

Elle n'est plus là. Je suis seule sur le banc. Je vois au loin le drapeau tricolore agité par le vent. Le drapeau de l'école.

Je pousse la grande porte. J'entre dans la loge de la gardienne. Elle me regarde surprise et me parle en français. Je ne comprends rien mais je lui dis simplement mes nom et prénom et le nom de mon institutrice que j'ai appris par cœur.

Elle hoche la tête comme pour signifier qu'elle a compris et m'emmène dans ma classe.

J'ai le cœur qui bat, prêt à exploser.

On frappe. Madame Berry vient ouvrir la porte et s'exclame en me voyant, un large sourire sur le visage et une bienveillance sincère dans les yeux, elle me prend par les épaules et m'emmène à ma chaise. Je sors mes affaires de mon cartable. Je parcours rapidement du regard la salle de cours. Une grande carte de France est accrochée au mur en face de moi.

Elle referme la porte et j'assiste à mon premier cours en français.

Moi, je ne parle pas

Quelques semaines ont passé. La petite fille ne parle toujours pas à ses camarades. Elle ferme obstinément la bouche. Bouche scellée mais yeux et oreilles grands ouverts. Elle prend, elle enregistre, elle digère tout ce qu'elle voit et entend. Mais elle ne parle pas.

Pourtant, elle a très bien appris cette langue puisqu'elle pense déjà en français dans sa tête et imagine des dialogues où elle se défend et prouve à tous qu'elle la parle très bien.

Les autres enfants de l'école la regardent avec un air de fausse compassion mêlée de moque-rie, elle est l'étrangère, celle qui ne parle pas un mot de français, la muette, la martienne, la pauvre.

Je me souviens de mes phrases dans la solitude de ma tête. Je me vois me promenant dans la cour de l'école, toujours seule, toujours dans ma bulle. Je remuais un tas de mots dans la tête, je formais des phrases, je prenais la parole en public et expliquais à tous que je n'étais ni muette ni étrangère ni martienne mais préférais juste garder cette nouvelle langue pour moi.

Pour le moment ça ne sort pas. Pas encore. Je ne veux pas. Je n'ose pas.

La petite fille couve sa nouvelle langue comme une poule son œuf. Il lui faut cette phase de gestation lente et solitaire. Bouche scellée mais extrême attention portée à chaque nouveau mot.

Et le monde des adultes qui s'inquiète comme toujours :

— Maryam ne parle toujours pas, je suis un peu inquiète en tant qu'institutrice. Cela fait quand même quatre mois et pas un mot ; pauvre enfant, elle est traumatisée.

— Maryam ne parle toujours pas, elle fait un blocage, en tant que parents on est très inquiets.

— Pourquoi Maryam ne parle toujours pas français ? Notre fille à nous a appris très vite et maintenant on ne peut plus l'arrêter de débiter en français. Vous devriez aller voir un psy.

— Allez dis un mot, montre-moi que tu sais parler français. Fais-moi plaisir.

— Cette enfant nous tuera ! Après ses dessins terrifiants, ses crises de nerf la nuit, sa grève de la faim à la cantine, maintenant elle refuse de parler. Mais que va-t-elle devenir ?

Mais elle se tait et se fiche de l'inquiétude des adultes tortionnaires. Elle se réfugie dans sa chambre et écrit en cachette chaque mot appris qu'elle répète tout doucement. Surtout personne ne doit l'entendre ni découvrir son secret.

Je suis une sorcière qui prépare une nouvelle langue et je ne veux pas qu'on me presse. Je vais bientôt mettre au monde mon français comme un enfant qui va naître, je le sais, je le ferai quand ce sera prêt. La langue prend forme dans le secret de ma bulle, de mon monde intérieur, mon placenta à moi.

Nous sommes à table. Une chose me tracasse. À l'école, un enfant m'a dit « cochon ». Je ne sais pas ce que ce mot veut dire. J'ai senti une certaine moquerie dans la voix. J'en parle à mes parents. Ils ne savent pas non plus le sens de ce mot. Nous prenons un dictionnaire français-persan. Mon père éclate de rire, il nous donne la traduction. Ma mère se met à rire aussi. Mais moi, ça ne m'amuse pas du tout. Je me suis fait traiter de cochon et je n'ai même pas compris l'insulte et ce devant tous les autres enfants de l'école. Combien de temps vais-je rester encore sans voix et ne pas répondre aux sarcasmes que ces sauvages m'adressent ?

C'était un dimanche matin. Comme tous les dimanches matin, nous prenions le petit-déjeuner en famille. Mon père avait fait des œufs brouillés et du thé, la télévision diffusait un de mes dessins animés préférés : l'inspecteur Gadget.

Soudain, c'est sorti : j'ai enfanté mon français. Je me suis mise à parler en français sans m'arrêter avec un enthousiasme et une vitesse fulgurants.

J'ai dit que j'aimais beaucoup l'inspecteur Gadget, j'ai raconté ma journée de la veille à mes parents, je leur ai dit que je n'aimais pas les mathématiques, qu'une fille était particulièrement méchante avec moi en classe, que madame Berry avait de drôles de cheveux, que j'aimerais bien que mon école soit à côté de la maison, que j'aimais beaucoup les dictées, que parfois les enfants se moquaient de mes vêtements. Tout ça est sorti pêle-mêle dans une joyeuse confusion délirante, passant d'un sujet à l'autre sous les yeux ahuris de mes parents qui me regardaient bouche bée.

Les mots se pressaient pour sortir, impatients qu'ils étaient, ça fusait dans le petit studio, ils volaient, ils dansaient, ils butaient contre les meubles, ils s'élançaient de ma bouche comme des flèches et touchaient le plafond et les murs, ils virevoltaient sur eux-mêmes, soulagés d'être enfin libérés de ma bulle intérieure, enchantés de pouvoir enfin communiquer avec les autres. Tout l'espace était rempli de mes mots français.

Ma mère riait les larmes aux yeux et mon père était incapable de reposer sa fourchette qu'il tenait à deux centimètres de sa bouche, il était figé dans ce mouvement comme un arrêt sur image. Finalement il l'a laissée tomber pour s'exclamer :

— Elle parle ! Enfin ma fille parle français. Ton français est incroyablement bon ! Parle encore, je t'en prie, je veux encore t'entendre parler cette langue.

La petite fille qu'on surnommait la muette est devenue par la suite une élève très bavarde au point que chaque trimestre, tous les professeurs écrivaient « avertissement pour bavardage » dans la case des appréciations de ses bulletins scolaires, du CE1 à la Terminale.

Moi, je ne mange pas

Je hais la cantine. Je hais cette concentration d'enfants dans un même lieu. Je hais cette promiscuité au moment du repas. Je hais leurs chahutages et leurs cris. Je hais leur façon de manger. Je hais les repas qu'on nous sert, parfois ils n'ont aucune saveur, parfois ils sont juste dégoûtants. Je veux la cuisine de ma mère et de ma grand-mère. Je veux des plats iraniens, je veux du riz basmati. Je ne toucherai pas à ce gros riz au goût d'eau, dur et sec. Ce qui me répugne le plus, c'est la viande. Elle est à peine cuisinée et cuite. Un gros morceau de viande qui baigne dans son sang, on me la jette comme ça dans l'assiette. La première fois que j'ai vu ça j'ai eu si peur. Je suis donc tombée chez les Barbares. Ou alors elle est pleine de gras, comme dans ce plat avec des carottes à moitié cuites, le bœuf bourguignon, le plat que j'ai le plus détesté. Dans la cuisine iranienne, on découpe la viande soigneusement en petits morceaux, on la fait mijoter dans une sauce avec des légumes, des épices et des herbes, ou bien on la mixe avec des oignons et on la cuisine sous forme de kebab sur un barbecue. Elle est délicieuse et fond sous la langue. Elle est relevée. On a passé du temps pour lui donner cette saveur.

Et puis c'est long la cantine. D'abord les entrées puis le plat puis les laitages et enfin le dessert. Chaque étape me paraît interminable. Quelle mascarade pour pas grand-chose. Quand ma mère cuisine, c'est un seul plat accompagné de yaourt ou de salade, c'est délicieux et je suis pleinement rassasiée jusqu'au prochain repas. C'est bon, rapide et efficace. Je pense au délicieux Ghormeh Sabzi : un ragoût de coriandre, de persil, d'épinards, de tareh et de shanbalilé[1] hachés et de haricots rouges dans lequel on laisse mijoter des morceaux d'agneau et des citrons séchés, accompagné d'un riz basmati parfumé au safran. Un autre plat que j'adore est le Kale Gonjishki, ce qui veut dire « têtes de moineaux » en persan : on mixe la viande hachée de bœuf avec des oignons et on en fait des petites boulettes, d'où le nom de têtes de moineaux, on coupe ensuite les pommes de terre en dés et on laisse le tout mijoter dans une délicieuse sauce tomate au curcuma.

J'ai décidé de ne pas manger. Voilà, une sorte de grève de la faim. Une grève pour protester. Je ne toucherai pas à mon assiette, tant pis si je meurs. Les « dames de service », comme on les appelle, insistent pour que je mange, mais je refuse catégoriquement. Les autres enfants me regardent et se disent des choses à l'oreille, ils font des messes basses à mon propos, les

---

1. Tareh et shanbalilé sont des herbes iraniennes.

lâches. Qu'ils parlent, ça m'est égal. Je ne mangerai pas ici.

J'aimerais disparaître de ce lieu. Je ne sais pas où me cacher, peut-être sous la grande table, mais tout le monde rirait et me montrerait du doigt. Et si je fuyais de la cantine comme j'avais fui de l'école le premier jour. Je rencontrerai peut-être à nouveau ma grand-mère qui me ferait un succulent plat iranien. Mais j'ignore les représailles si je fais ça, et puis je suis complètement paralysée quand je suis à la cantine. Des angoisses profondes remontent en moi, que je n'ai jamais su expliquer par la suite. Des angoisses qui m'empêchent de bouger et d'ouvrir la bouche pour y fourrer ces aliments inconnus et dégueulasses.

J'ai eu beau résister, on m'a obligée à y manger toute une année, ma mère n'étant pas disponible pour venir me chercher à midi. Chaque matin, je posais la question fatidique : « Maman, je dois manger à la cantine aujourd'hui ? » Et chaque matin, les mêmes crises de larmes.

La nouvelle s'est répandue. Après « Maryam ne joue pas » et « Maryam ne parle pas », désormais « Maryam ne mange pas ». Les représailles me tombent dessus : je me fais gronder par ma maîtresse. Elle m'a même punie une fois devant tous les autres élèves en me forçant à m'asseoir sur un banc vide au fond du préau, à l'écart de tous mais visible de tous. Ça tombait bien, j'étais loin de toute cette mastication collective et je m'en fichais d'être stigmatisée ainsi.

Une autre fois, elle m'a crié dessus en me forçant à avaler une bouchée de purée de carottes. Tous les petits yeux de la table étaient rivés sur moi. J'ai craqué et j'ai pleuré. Je n'en pouvais plus. Mme Berry s'est ensuite calmée et elle m'a parlé doucement mais rien à faire, cette purée de carottes n'entrera pas dans ma bouche.

Les dames de service aussi deviennent de plus en plus méchantes. Au départ, elles insistaient pour que je mange, poussées par une sorte de pitié à mon égard, mais maintenant elles se moquent de moi comme les autres enfants. Elles se moquent de mes origines. Une dame de service a toujours le même refrain à la bouche : « Mais ce n'est pas du porc, mange donc, voyons ». Pourquoi elle me dit ça ? Une autre dit : « Tu veux qu'on te prépare un couscous ? » Je ne sais même pas ce que c'est qu'un « couscous ». Une autre qui se croit plus maligne : « On va te faire un curry, elle est indienne, n'est-ce pas ? » Et elles se marrent comme de grosses dindes.

Certains enfants sont contents d'être assis à côté de moi parce qu'ils peuvent manger ma part. Les goinfres, qu'ils s'étouffent avec mon entrée ou mon dessert. Ce que je déteste par-dessus tout, c'est le fromage. Il pue le fromage français. C'est insupportable. Je rêve de notre feta iranienne. Panir-é-Tabriz blanc, pur, frais, sans odeur de chaussette pourrie ni dégoulinant et collant comme cette chose ignoble qu'on appelle le camembert, juste un léger parfum de chèvre ou de brebis, fondant dans la bouche. J'en mange tous les matins à mon petit-déjeuner avec du thé. Eux, les Français, ils mangent du fromage à la fin du repas. C'est n'importe quoi. Tout est désordonné, renversé et je n'y comprends rien.

Le rat

Je suis en classe. J'ai une envie pressante d'aller aux toilettes. Je lève timidement la main. La maîtresse m'autorise à parler. J'ai un peu honte de demander ça. J'ai aussi peur de faire une erreur en français. Les autres élèves vont ricaner, j'en suis sûre. Je lui demande la permission d'aller aux toilettes. Elle me dit d'attendre puis ajoute quelque chose avec la cloche et la récré. Je ne suis pas sûre d'avoir bien compris. J'attends un peu et je relève la main.

— Qu'est-ce qu'il y a encore Maryam ?

— Je peux aller aux toilettes ?

— Je t'ai dit d'attendre un peu.

J'ose plus insister. Ça va couler, je le sens. Je pourrai pas me retenir plus longtemps. J'essaie encore en serrant mes jambes mais la pression est trop forte. Soudain, je lâche tout. Je fais pipi en classe. Un liquide chaud coule le long de mes jambes et goutte par terre juste en dessous de ma chaise. Une flaque d'urine s'est formée. Je suis paralysée. J'ai l'espoir que personne ne le verra. La cloche de la récré sonne. La maîtresse demande aux élèves de se lever en silence. Mais moi, je ne bouge pas. Ma camarade de classe me demande pourquoi je reste assise et elle s'aperçoit que j'ai fait pipi dans ma culotte. Elle fait un grand « Oh ! » avec la main sur la bouche et le signale immédiatement à la maîtresse. Je suis pâle. Je veux mourir. Je vais mourir de honte. Je me mets à pleurer. Elle s'approche de moi et ne semble pas fâchée mais légèrement surprise.

— Mais enfin Maryam, si c'était si urgent, il fallait me le dire.

Je me sens misérable. Je suis un rat qui cherche un trou où se cacher.

Elle me dit d'attendre ici. Elle emmène les autres élèves en récré puis revient avec un pantalon propre dans les mains suivie d'une dame de service. Elle m'aide à enfiler le pantalon et la dame de service nettoie mon pipi sur le sol.

Puis elle me dit de rester en classe le temps de la récré. Elle me gronde gentiment et me fait comprendre que je suis punie. Je ne dis rien, toujours paralysée par la honte. Elles s'en vont.

Je suis seule dans cette salle de cours, assise sur ma chaise avec ce pantalon de couleur jaune délavé beaucoup trop petit pour moi. Je regarde les affaires éparpillées sur les tables de mes camarades de classe. J'écoute les cris des enfants qui jouent dans la cour.

Oh non ! Je sens que j'ai encore envie de faire pipi. Je commence à paniquer. Je ne sais pas si j'ai le droit de sortir de la classe. Elle m'a dit : « Tu restes ici pendant la récré » avec l'index levé en signe de remontrance. Ça, je l'ai bien compris. Oui mais je ne vais pas encore me faire pipi dessus. Tant pis. Je me lève et j'ouvre la porte tout doucement, je sors dans le couloir et descends les marches. Je dois traverser la cour pour aller aux toilettes. Je n'arrive pas à faire un pas de plus. Je n'ose pas traverser la cour ni affronter le regard des autres enfants avec ce pantalon ridicule. Ils vont sûrement me montrer du doigt en ricanant : « Regarde-la, c'est celle qui a fait pipi en classe et maintenant elle est ridicule avec son pantalon. » Le pantalon de la honte, le pantalon qui stigmatise, le pantalon de tous ceux qui ont fait pipi dans leur culotte en classe, tout le monde va reconnaître ce pantalon et savoir que j'ai fait pipi en classe. Non, je ne peux pas traverser cette cour. J'ai peur aussi que ma maîtresse me voie et me gronde encore parce que je suis sortie de classe. Je ne peux plus avancer, alors que la cour est à peine à un mètre de moi. Il m'est impossible de passer de l'espace du préau à l'espace de la cour. Il me suffirait juste de faire quelques pas et, une fois dans la cour, de courir aux toilettes mais ce seuil est infranchissable. Et l'envie d'uriner qui me torture, me compresse la vessie. Je regarde autour de moi pour trouver un endroit à l'abri des regards où je pourrais me soulager. Je vois un coin sous l'escalier, une sorte de renfoncement où on a mis de grandes poubelles et des balais, de là on ne pourra pas me voir facilement. Je regarde autour de moi comme une bête traquée. Il n'y a personne. Je ne tiens plus et je fais pipi sous l'escalier, cachée par les balais et les poubelles. Mon pipi coule et j'ai peur qu'il aille trop loin et que quelqu'un le voie et retrouve ma trace.

Je m'arrête immédiatement d'uriner. Je fais attention à ne pas marcher sur l'urine et je remonte en classe comme une coupable, une paria, un petit rat malpropre.

La laverie

Au commencement, on m'avait catapultée dans une seule classe. Puis quelques semaines après, je me suis retrouvée dans une autre classe tout en continuant dans la première.

J'ai donc deux classes et deux instituteurs, tout comme j'ai deux langues, deux manières de prononcer mon prénom, deux saveurs dans la bouche, deux musiques dans la tête.

Il y a la classe « normale » et la classe « spéciale ».

La classe dite spéciale est aussi appelée une « CLIN ».

Une CLIN : classe d'initiation pour non-francophones. Classe de l'école élémentaire réservée aux élèves non-francophones qui viennent d'arriver en France. Objectif de la CLIN : intégrer dans l'école l'élève non-francophone. L'élève de la CLIN est également inscrit en classe ordinaire. Définition du ministère de l'Éducation nationale.

Je déteste cette classe « spéciale ».

Pourtant, l'instituteur est très gentil. Il s'appelle Julien. Il a de grands yeux bleus et les cheveux blond foncé. Il est doux. Il est toujours patient et souriant avec nous. C'est le Jésus-Christ de l'enseignement. Il nous aide à porter notre fardeau d'incompréhension et de douleur. Il fait des efforts à longueur de journée pour nous apprendre le français. Il passe voir chaque enfant, s'assoit, prend son temps, transpire, explique vingt fois la même chose, trouve des combines, des astuces, il dessine, trace des schémas pour mieux faire comprendre, même quand la cloche a sonné, il reste encore pour éclaircir des points difficiles de la leçon. Il nous embrasse pour nous dire au revoir. Il a les yeux qui brillent quand il voit la volonté d'un élève à l'œuvre.

Je suis un petit peu amoureuse de lui. Je dois l'avouer. Du coup, je redouble d'efforts pour apprendre encore plus vite cette langue. Mais au fond, si j'apprends aussi bien et vite le français c'est parce que je veux quitter cette classe malgré mon amour secret pour Julien. Cela me rendra triste de ne plus l'avoir comme instituteur mais je veux la classe ordinaire. C'est cette classe-là qui m'intéresse parce que c'est la classe des vrais Français. Je veux être comme eux : ordinaire, normale, française. C'est là-bas que tout se passe.

Ici, ça sent la misère et l'exclusion, c'est comme une arrière-cour[1], une coulisse, un lieu où on cache ce qui n'est pas joli à voir, ce qu'il ne faut pas montrer.

---

1. Cette expression d'« arrière-cour » vient de l'article « Langue-gage » de Achour Ouamara publié dans *Écarts d'identité*, n° 102, 2004.

Je n'aime pas ces enfants au regard triste et au corps effacé. Ils s'habillent mal, ils ont l'air pauvres, il y a en eux quelque chose de subi. Et puis ils semblent flotter, ils n'ont pas l'air solides. Ils parlent mal français. Certains ne progressent pas du tout, empêchés par de mystérieux obstacles.

Drôle de classe : une bande de paumés en mal d'amour qu'on a jetés sur le sol français, comme ça, un beau matin.

Chaque fois qu'un nouvel élève arrivait, il devait se présenter et dire sa nationalité. Au total, avant que je ne quitte cette classe, j'y ai vu passer ou demeurer des Pakistanais, des Algériens, des Polonais, des Sénégalais, des Turcs, des Kabyles, des Chinois, des Vietnamiens, des Indiens, des Tunisiens, des Bengalis, des Roumains, des Russes, des Portugais, des Camerounais, des Égyptiens, des Irakiens, des Afghans, et puis il y a moi, l'Iranienne.

Je savais que je leur ressemblais. Malgré moi, malgré mon déni, mon refus de les accepter comme des frères. Ils étaient mes frères. Mes frères de misère, d'exil, de nostalgie, de tout ce que nous portions sur nos petites épaules d'écoliers, et ce poids nous l'avions en partage et nous devions avancer avec ça. Parfois, j'avais l'impression que dans nos cartables, c'étaient pas des stylos, feutres, livres et cahiers qu'on portait mais un tas d'histoires pas très drôles et beaucoup de visages disparus.

Et puis on avait une étrange manière de marcher sur le chemin de la vie : un pied en France et un pied là-bas. Petites marionnettes désarticulées. On ressemblait à des enfants ayant grandi trop vite, vieux avant l'heure. Ils me tendaient un miroir dans lequel je ne voulais pas me voir. Je ne voulais pas être différente. Je voyais une balafre sur leur visage. La balafre de ceux que l'exil a coupés en deux. Je voulais la gommer et réécrire mon histoire à grands coups de normalité, d'unité, de francisation.

Des années après, étudiante en master de didactique du français langue étrangère, nous avions un cours sur les structures d'« accueil » pour ceux qu'on appelle les « ENA » : enfants nouvellement arrivés. Il était question de ces CLIN censées « initier » en vue d'« intégrer » l'élève non francophone dans l'espace francophone et par chance notre enseignante était très critique. Elle dénonçait l'absence d'ouverture culturelle, les dangers de l'assimilation, le refus d'accueillir réellement l'autre, c'est-à-dire sa culture, sa terre, son identité, sa langue. Elle espérait que ces structures deviennent un jour de véritables lieux d'accueil et d'échange interculturel dans l'avenir.

C'est là, en lisant ses cours, que j'ai compris que j'avais subi une vaste entreprise de nettoyage. Comme s'il fallait cacher notre différence et puis procéder à un effacement total. Cinq minutes consacrées à la présentation du non-francophone, où pour la seule et unique fois ses « origines » sont évoquées, à part ça, rien d'autre. Ensuite, une fois que le travail de « cleaning » a bien été accompli, on l'envoie dans la « vraie » classe. CLIN ou CLEAN, c'est tout comme. On efface, on nettoie, on nous plonge dans les eaux de la francophonie pour laver notre mémoire et notre identité et quand c'est tout propre, tout net, l'intérieur bien vidé, la récompense est accordée : tu es désormais chez les Français, tâche maintenant d'être à la hauteur de la faveur qu'on t'accorde. Étrange façon d'accueillir l'autre chez soi. Un contrat est passé très vite entre celui qui arrive et celui qui « accueille » ; j'accepte que tu sois chez moi mais à la condition que tu t'efforces d'être comme moi. Oublie d'où tu viens, ici, ça ne compte plus.

À la recherche
de la langue perdue

Il était une fois

Une langue perdue dans un pays étranger.

Étrangère dans un pays où son odeur n'était familière pour personne. Son intonation, sa mélodie, son rythme un peu plaintif et nonchalant ne touchaient plus le cœur des gens et avaient seulement un attrait quelque peu exotique pour eux.

La langue tentait tant bien que mal de se faire une place, d'avoir un peu le droit de cité. Timidement, dans les rues, elle esquissait quelques mots, quelques sons, mais les mots retombaient sur le sol de la bizarrerie et de l'incompréhension, parfois même dans les eaux acides de la moquerie.

Personne ne parlait cette langue. Elle devait se faire une raison et l'accepter. Les rares locuteurs qui la parlaient et la comprenaient avaient un peu honte d'elle désormais. Ils n'osaient pas la parler très fort dans la rue. La langue étrangère faisait d'eux des étrangers et ils n'avaient pas envie d'être montrés du doigt.

Parfois, elle rêvait de ce temps et de ce pays où elle avait un statut officiel, où des millions de personnes l'utilisaient, où aucune autre langue ne pouvait rivaliser avec elle. Sa légitimité la rendait si forte.

Ici, elle n'était réduite qu'à trois locuteurs : un père, une mère et un enfant.

Dans ce huis clos étouffant, la langue perdait de sa vitalité et de sa force. Elle devenait de plus en plus fragile. Elle avait en elle la faiblesse des personnes malades qui doivent trouver un refuge pour se protéger du reste du monde. Chaque jour elle reculait devant la puissance d'une rivale, une autre langue, celle-ci était la langue officielle de ce nouveau pays.

Elle avait fini par se réfugier en haut d'une chambre de bonne au 6e étage d'un immeuble parisien, cloîtrée entre quatre murs, cachée dans une mansarde qui sentait la misère.

Il était une fois

Une petite fille qui cherchait sa langue.

Elle cherchait sa langue lorsqu'elle marchait dans les rues ; elle tendait l'oreille attentivement dans l'espoir de saisir un ou deux mots familiers ; elle observait les gens avec ses grands yeux noirs pour tenter de reconnaître la musique de sa langue maternelle.

Où est passé le persan ? se demandait-elle.

Elle pensait au début que la langue lui jouait un tour. Le persan s'était déguisé en français pour un temps et bientôt il réapparaîtrait à nouveau. Puis elle se dit que le persan n'avait peut-être jamais existé, que c'était un rêve. Ensuite, elle sombra dans une profonde mélancolie en pensant que le persan était mort, comme meurent les personnes, les animaux, les végétaux, comme tout ce qui vit sur cette terre. Une langue peut donc mourir ? Mais se ressaisissant, elle envisagea un temps de l'enseigner à tout le monde, ainsi tout le monde la parlerait à nouveau mais devant l'ampleur de sa tâche, elle baissa les bras, découragée. Comment l'enseigner à des millions de personnes quand elle sait à peine l'écrire et la lire ? Elle se tourna vers ses parents, eux avaient peut-être la solution.

— Pourquoi personne ne parle le persan ?

— Parce qu'on est en France. En France, on parle le français.

— Avant on était où ?

— On était en Iran. En Iran, on parle le persan. Mais enfin c'est quoi ces questions ! Tu le sais tout ça. Tu vas apprendre une nouvelle langue, le français.

— Mais le persan est mort ?

— Mais non il n'est pas mort, nous le parlons, nous, tu le vois bien.

— Seulement nous ? Ça fait pas beaucoup. Si on meurt, le persan meurt aussi ?

— 75 millions de personnes parlent le persan en Iran et si on fait le total dans le monde entier, il y a environ 100 millions de locuteurs. Ne t'inquiète pas, ta langue ne va pas mourir de sitôt.

— Pourquoi on est venus dans un pays où personne ne la parle ?

— Nous t'avons déjà expliqué tout ça : en France, on est libres, c'est une démocratie, nous avons choisi ce pays parce qu'il incarne pour nous la liberté d'expression. Tu le comprendras un jour.

Ainsi, dans la tête de la petite fille, s'est tu le persan. Sa langue a foutu le camp. Son unique espace est la mansarde où elle n'osera jamais inviter un camarade de classe de peur qu'on découvre sa pauvreté.

Ainsi s'est tu le persan. La petite fille comprend qu'ici, il ne sert à rien de le parler. Personne ne lui répondra.

Alors il se passa quelque chose d'étrange : elle avala sa langue. Elle ferma les yeux et elle engloutit sa langue maternelle qui glissa au fond de son ventre, bien à l'abri, au fond d'elle, comme dans le coin le plus reculé d'une grotte.

La lutte des langues

— Je triomphe. Je suis la langue des Lumières et de Molière.

— Je suis la langue de tes premières années.

— Ne l'écoute pas. Cette langue est celle du passé qui n'est plus.

— Souviens-toi de ton terreau.

— Apprends-moi et oublie le reste.

— Le persan est l'archet qui fait vibrer ton corps.

— C'est la langue de l'exil, de l'arrachement, du traumatisme.

— Je suis peut-être une vieille femme boitante que la vie a rejetée, le bruit de ma canne et de ma jambe lourde que je traîne est insupportable mais ce bruit te poursuivra toute ta vie si tu ne me prends pas la main.

— Oublie cette vieille folle bégayante et laisse-la balbutier son charabia. Je t'offrirai un monde d'intégration, de reconnaissance, de réussite.

— Je t'offrirai la réconciliation et l'apaisement.

— C'est faux ! Elle t'empêchera d'avancer.

— Je suis le pont entre tes deux patries.

— Elle sent la mort.

— Si tu m'oublies, tu t'oublieras.

— Foutaise ! Ton salut est dans le français.

— Tu aimes dessiner, non ? Parcours du bout de ton crayon mes lettres de l'alphabet : c'est comme dessiner.

— Tu aimes lire, non ? Laisse de côté ces arabesques puériles et suis-moi, je te ferai traverser mes océans littéraires.

— Je me tairai mais je te poursuivrai en silence.

— Sois du côté des vainqueurs. Sors de ces histoires de fantômes.

— Je ne suis pas la langue de ta mère, je suis ta mère dans la langue.

— Écoute-moi ça : ça ne veut rien dire. Je te l'ai dit, ce n'est que du charabia.

— Tu reviendras vers moi, vers mes lettres ondulantes, vers ma musique douce et plaintive, vers ma poésie aussi.

— Pour qui se prend-elle ? Tu ne reviendras nulle part. Tu avanceras droit devant.

— Tu reviendras, je le sais. Je te laisse pour l'instant dans ta conquête flamboyante du français.

Alors le français enveloppe la petite fille de son manteau royal de lys et d'élite. Ils marchent ensemble vers un grand édifice de liberté, d'égalité et de fraternité. Des bouts de papier dansent au-dessus de leur tête : bulletins scolaires élogieux, félicitations méritées, poèmes applaudis tourbillonnent joyeusement et accompagnent leurs pas.

Le persan, assis un peu à l'écart sur un banc, les regarde s'éloigner. Vieille femme pensive, encerclée d'une épaisse solitude, balayant du bout de sa canne quelques feuilles et déchets et les vieux rêves du passé.

Je n'apprendrai pas le persan

— Non. Non. Et non.

— Il le faut, tu dois apprendre le persan. Je ne te demande qu'une petite heure, c'est pas grand-chose. Va chercher ton cahier et ton livre. Dépêche-toi. Fais plaisir à ton père.

— Je veux pas. Je suis en France, je parle français. Ça sert à rien de parler persan.

— C'est notre langue, tu comprends, c'est tes racines.

— Je suis pas un arbre, j'ai pas de racines. C'est votre langue, plus la mienne.

Mon père soupire, ma mère lui dit de me laisser tranquille.

Je retourne à mes poupées que je dispose soigneusement devant moi en cercle et je commence à leur faire la leçon, comme ma maîtresse d'école, dans mon français encore balbutiant mais que je compte fermement perfectionner.

Ouvrez votre cahier. Dictée.

Je vois, je sens la déception de mon père. Il ne dit plus rien. Il se lève et va ranger le cahier et le livre de farsi niveau CP dans un tiroir. Il allume une cigarette.

Tu t'acharnais à maintenir un lien entre ton pays et ta fille. Corde rongée par l'exil, ne tenant plus qu'à un fil. Et ce fil était la langue. Mais cette langue, je ne l'aimais plus car elle me faisait souffrir. Tu avais conscience que tu ne pouvais me forcer à l'apprendre. On ne force personne à apprendre quelque chose, ça ne rentre pas. Tu réalisais peu à peu que ce nouveau pays transformerait ta fille, tu avais peur qu'elle devienne une étrangère ou plutôt de devenir un étranger pour elle, qu'elle n'ait plus rien en elle d'iranien et qu'elle ne t'estime plus parce que quand tu ouvrais la bouche pour parler français, tu avais l'air d'un idiot avec tes erreurs de syntaxe et de phonétique.

— Alors puisque c'est comme ça, personne ne parlera français dans cette maison. Sous mon toit, on doit parler persan.

— Et si ta fille s'obstine à te parler en français ?

— Je ne répondrai pas. Et je t'ordonne de faire la même chose.

— Ce n'est pas par la force que tu résoudras ce conflit. Elle va haïr le persan. C'est tout ce que tu auras gagné.

— Je refuse qu'elle oublie sa langue maternelle. C'est la langue de ses origines, de ses parents, de tous ses ancêtres.

— Mais on est en France. Tu n'arrêtais pas de nous le répéter au début. On est en France, il faut manger des croissants. On est en France, il faut apprendre le français. On est en France, il faut boire du vin. On est en France, il faut aimer le fromage qui pue. On est en France, il faut se comporter comme des Français. Voilà, tu devrais être content, elle est si bien intégrée maintenant qu'elle refuse d'apprendre et de parler ta langue.

— Ce n'est pas ce que je voulais. Elle doit avancer avec sa double culture et garder ses deux langues car, qu'elle le veuille ou non, elle sera toujours un mélange des deux.

Au début, j'ai résisté. Je te parlais en français. Tu ne répondais rien. Je répétais la même phrase. Toujours le silence. J'avais beau insister, tu refusais de me répondre. Nous construisions ensemble un mur entre nous, chacun posant sa brique. Ta brique du persan et des racines. Ma brique du français et de l'intégration. Combien de temps ton mutisme et ma résistance allaient-ils durer et jusqu'où irait ce mur ?

Au bout de quelques semaines, j'ai cédé. Je m'en voulais de te faire du mal. J'avais déjà refusé d'apprendre à lire et à écrire le persan, je pouvais peut-être au moins le parler à la maison. J'ai fini par accepter cette loi : le persan à la maison, le français dehors. Il y avait désormais notre langue et leur langue, nous et eux. Et moi je passais d'un monde à l'autre, d'une langue à l'autre, échangeant mes rôles, jonglant tant bien que mal avec ces deux identités.

Les fautes de français

Durant toute mon enfance et mon adolescence, je priais pour que mes parents se taisent devant mes amis. Je voulais même les présenter en disant : « Voici mes parents, ils sont muets, hélas. »

Ma mère a dressé une belle table, j'ai invité une amie du lycée à manger à la maison. L'hospitalité iranienne, comme il se doit.

Je fais les présentations.

Ma mère lui dit avec un grand sourire :

— C'est belle !

Mon amie ne comprend pas. Voilà, c'est fait, la faute de français vient d'être lâchée, la honte me gagne, je dois corriger ça et je ne veux pas le faire devant mon amie mais je me sens obligée de le faire.

— Tu es belle, veut dire ma mère.

Mon amie remercie ma mère. Elle aussi, elle est gênée.

Ma mère répète la bonne phrase, elle rougit. Je sens un léger mouvement de son corps en avant comme pour se courber, pour s'excuser de s'être trompée, d'avoir failli à la norme française. J'ai envie de fuir.

Encore aujourd'hui, j'ai une légère appréhension qui monte en moi dès qu'ils parlent français.

La honte enfantine de cette époque ne m'a jamais quittée.

— Maryam, viens ici, j'ai besoin de toi pour une lettre.

— Non, j'en ai assez d'écrire vos lettres en français. Faites-le vous-mêmes !

— Tu sais très bien qu'on ne peut pas écrire correctement en français, on ferait des fautes d'orthographe. Ne fais pas tant d'histoires, sois gentille, viens ici.

Je dois écrire tous les courriers administratifs : les lettres à l'OFPRA, à l'assurance maladie, à la mutuelle, à l'assurance auto, à la CAF, à l'ANPE, à la banque, à la poste, à EDF, au propriétaire. Les pires lettres pour moi sont celles où je dois mendier de l'argent. Ma hantise : le service des contraventions, où il faut pleurer pour ne pas payer l'amende, le service des réclames, où il faut pleurer parce que victime d'une injustice, le service des demandes d'aide sociale, où il faut pleurer parce que nous sommes « les Misérables ».

— Maryam, dépêche-toi, j'ai besoin de toi !

J'avance en traînant les pieds jusqu'à la table de la cuisine où sont soigneusement posés une feuille blanche, un courrier administratif et un stylo.

Ma mère me demande de rédiger un courrier à l'attention du Grand Manitou de la Redevance

Télé. Ma lettre doit être suffisamment pathétique pour lui arracher deux ou trois larmes afin que la redevance nous soit épargnée. Quelle misère ! Je déteste faire ça. Je dois trouver les formules touchantes et parfois il nous arrive de rire tant la lettre semble tout droit sortie de la plume d'une Cosette.

« Monsieur, mon unique enfant n'a qu'un seul loisir dans cette vie difficile et misérable de réfugiés politiques : c'est la télévision... »

L'unique exemplaire
de la méthode Mauger

2012 – Iran – Quelque part sur la route
entre Téhéran et Mashad

Je suis dans la voiture de mon oncle, nous roulons vers le désert.

— Daï[1] Saman, pourquoi tu as appris le français ?

— Je vais te dire comment j'ai rencontré le français. C'est encore une histoire qui va te plaire. J'allais avoir dix-neuf ans, c'était quelques mois avant de me faire emprisonner. J'étais chez des amis, on discutait politique comme toujours à cette époque, on fumait beaucoup et soudain quelques notes de piano se sont élevées au-dessus du brouhaha de nos paroles. J'ai tendu l'oreille, je me suis levé jusqu'à cette musique, et j'ai écouté le morceau en entier sans comprendre un seul mot, la tête penchée sur le vieux lecteur de cassettes. Je soupçonnais là quelque chose de très poétique et pathétique à la fois.

---

1. Daï : « oncle ».

J'étais séduit. Je demande ce que c'est. On me répond que ça vient de France, que le type qui chante s'appelle Brel. Ces mots, ces mots français, ces sons, ce [« r] » jamais entendu avant comme ça, et le son [e] comme dans « bonheur », « cœur », ça venait d'où tout ça ? Et j'avais envie de savoir, de déchiffrer leur sens caché, je voulais apprendre cette langue.

Ensuite tu connais l'histoire, j'ai été arrêté et emprisonné.

J'ai appris le français en prison, c'était pas simple parce qu'il n'y avait qu'un seul manuel de langue française : la méthode Mauger. Un seul exemplaire pour tous. On avait trouvé une combine pour l'« imprimer ». L'unique manuel circulait de main en main. Quand le livre parvenait dans les mains d'un détenu, il devait recopier à la main quelques pages. Un papier à l'intérieur du livre l'informait des pages précédemment recopiées. C'était le pacte entre tous les apprenants du français. C'est ainsi que nous l'imprimions à notre façon. Au fur et à mesure des années, il existait dans la prison d'Evin plusieurs copies de la méthode Mauger qui circulaient sous le manteau.

C'est comme ça que j'ai appris le français. Je voulais comprendre les paroles de « Ne me quitte pas » de Brel un soir où j'avais à peine dix-neuf ans et un milliard de rêves dans la tête, puis j'ai découvert d'autres chansons, des livres aussi, j'ai eu le vertige de la littérature française, et j'en suis tombé amoureux.

Il m'a demandé ensuite de mettre un CD et de monter le volume. Je reconnais les premières notes. Mon oncle se met à chanter, je l'accompagne, nous connaissons par cœur les paroles. Nous chantons à tue-tête, en riant et en faisant de grands gestes avec nos mains et nos têtes caricaturant les acteurs de tragédie.

Ne me quitte pas,
Il faut oublier,
Tout peut s'oublier
Qui s'enfuit déjà
Oublier le temps
Des malentendus
Et le temps perdu...

Le téléphone sonne

C'est ma grand-mère qui n'est plus désormais qu'une voix. Je n'aime pas ça. Je ne veux pas lui parler parce que ça me fait mal d'entendre sa voix fluette, frêle, triste. Tout ce qui est iranien me tord le ventre. Mes parents me tendent le combiné, je suis forcée de dire quelques mots. Toujours les mêmes.

— Comment tu vas ? Qu'est-ce que tu fais là-bas ? Tu aimes ton école ? Tu as de nouveaux amis ? Parle-moi de tes amis.Comment s'appellent-ils ? Tu apprends le persan, j'espère ?

— Oui, mamie, ça va, oui j'ai des amis, oui j'apprends le persan, oui, khubam, khubam, khubam[1].

Je n'aime pas cette intrusion de l'Iran dans ma vie d'ici. Je trouve ça indécent, obscène, on me montre quelque chose qui n'a plus à être montré, on étale sous mon nez une nappe couverte de jouets abandonnés, de barreaux de prison, de livres interdits, de cheveux de femme coupables,

_____
1. « Je vais bien, je vais bien, je vais bien. »

de foulards traîtres, l'incompréhension partout. On me met le nez en plein dedans, et je dois aimer ça. Sans crier gare, d'un coup la sonnerie du téléphone ravive les souvenirs enterrés là-bas, d'un coup je dois entendre la voix d'une femme qui m'a protégée mais que je ne peux plus toucher, je dois parler cette langue que je veux taire parce qu'elle sent le deuil et la séparation, et puis cette incessante insistance à l'apprendre. Pourquoi ? Ça allait de soi, il faut parler sa langue maternelle, il faut garder un lien avec ses origines, les fameuses racines, c'est comme ça, tu poses trop de questions, ouvre ton cahier et écris les lettres de l'alphabet : aleph, bé, pé, té, se, djim, tché..., baba ab dad, maman nan dad[1].

La petite fille regarde son cahier de brouillon dans lequel elle a dessiné l'alphabet persan. Chaque ligne est consacrée à une lettre. Des lignes recouvertes des trente-deux lettres soigneusement tracées. Elle prend un ciseau et elle découpe chaque ligne puis chaque lettre, une par une, les lettres se détachent de la ligne et tanguent un instant dans le vide avant de tomber doucement par terre. Elle en fait un tas et elle soulève le tapis de sa chambre, puis la moquette, et elle creuse le sol, elle fait un trou dans la terre avec ses petits doigts et dans le

1. « Papa donne de l'eau, maman donne du pain. » Exemple de phrase type que l'on trouve dans les manuels de persan de niveau CP.

trou elle enterre le tas de lettres. Elle remet la terre puis la moquette et le tapis et agenouillée, les yeux fermés, elle se recueille sur la tombe de son persan.

Comment peut-on être français ?

Paris 3ᵉ – Un café rue Rambuteau

Je bois une bière avec une amie. Un homme d'une cinquantaine d'années est accoudé au bar. Il s'approche de nous, il a envie de bavarder.

— Vous faites quoi comme boulot ?

— On est profs de français.

Il me regarde et me dit :

— Mais je croyais que pour enseigner le français, il fallait être français, non ?

— Je suis française.

Il éclate d'un gros rire.

J'ai eu envie de lui casser la gueule, de l'insulter, de lui faire bouffer ma carte d'identité mais je n'ai rien fait, je n'ai rien dit. J'ai fini ma bière, tête baissée.

Université de la Sorbonne
– Conversations avec des étudiants

— Pourquoi tu te présentes toujours uniquement comme une Iranienne ? Presque systématiquement, tu rencontres une personne et tu dis que tu es iranienne mais tu es aussi française. Pourquoi tu ne dis jamais que tu es française ? C'est étrange, tu ne trouves pas ?

— Tu es iranienne. C'est tout. J'ai aussi grandi en France comme toi mais je ne me considère pas comme un Français. Je suis turc. C'est évident. Je ne comprends pas pourquoi tu prétends être française. Tu renies tes origines persanes. Tu es comme ces jeunes Turcs qui parlent anglais, qui vont au Starbucks, qui singent les Occidentaux.

— Maryam, je voudrais te présenter un ami musicien. Il s'appelle Paul, c'est un vrai Français, pas comme toi qui es une Française en toc.

— Moi tu vois j'ai un père français et une mère algérienne, eh bien je ne crie pas sur tous les toits que je suis algérienne. Je n'alimente pas l'exotisme comme toi.

— Je trouve ça fascinant d'avoir une double culture. Quelle richesse ! J'aurais aimé avoir une double culture, ça m'aurait ouvert l'esprit. Je complexe parfois de n'être que française.
— De quelle richesse tu parles ?
— Mais enfin on a écrit des tas de choses là-dessus, tu ne peux pas le nier, il y a une véritable richesse de la double culture.
— Tu me fais bien rire. Personne ne voudrait être à la place d'un réfugié ou d'un immigré qui a fui son pays.
— Mais je te parle pas de ça. Je te parle juste de l'ouverture extraordinaire due au fait d'être bilingue par exemple. C'est génial !

— Tu sais ce que ça fait d'être nulle part chez soi ? En France, on me dit que je suis iranienne. En Iran, on me dit que je suis française. Tu la veux ma double culture ? Je te la donne, va vivre avec et tu viendras me dire si c'est une « belle richesse » ou pas.

Je sors de la fac, bouillonnante, envie de crier et de tout casser. Je descends la rue Victor-Cousin, je passe devant la statue de Montaigne, je lui touche rapidement le bout du soulier, lustré et doré à cet endroit. Je m'arrête devant le petit square et je vois Maman Massoumeh assise sur un banc. Je m'arrête net. Elle me regarde et m'invite à m'asseoir.

Je suis assise près d'elle. Elle me prend la main et y dépose un baiser.

Toute ma colère s'évapore et laisse place à une immense fatigue.

— Maryam, réconcilie-toi avec ta double culture. Fais la paix en toi.

— Je ne suis pas en guerre avec ça, je suis en colère contre ces hypocrites qui s'extasient sur une blessure. Ils enfoncent le doigt dans ma blessure avec politesse, condescendance et sourire aimable. Ils n'y comprennent rien. C'est tous des racistes.

— Maryam, tu ne combattras rien avec de la haine et de la rage.

— Je suis jalouse de leur identité. Ils semblent si confiants. Je ne pourrais jamais poser le pied sur le pavé parisien avec autant d'assurance. Moi je vacille tout le temps, d'un bord à l'autre.

— Ouvre le poing. Regarde-moi : ouvre le poing. Et n'oublie pas une seconde chose essentielle que je vais te confier : ne détruis pas ce que tu tiens à peine dans la main.

— Comment ça ? Je ne comprends pas.

— Tu comprends très bien, ma chère petite-fille. Ouvre le poing et ne détruis pas ce que tu tiens à peine dans la main.

Je regarde sa main ridée aux veines saillantes, ses beaux ongles toujours parfaitement manucurés. Ses doigts lentement s'ouvrent devant mes yeux et le poing crispé se déploie, s'ouvre comme une fleur et elle me tend la main.

Je dépose la mienne dans sa paume. Elle me serre fort la main.

Je suis seule sur ce banc. Maman Massoumeh a disparu. Des pigeons en quête de miettes s'approchent du banc, je les chasse du pied. Ouvrir le poing. Ne pas détruire ce que je tiens à peine dans la main. Je repense à ce film des frères Taviani où le fantôme de la mère réapparaît dans la maison natale et montre à son fils son poing fermé et lui dit que ce n'est pas ainsi qu'il faut vivre, on ne peut pas vivre avec le poing fermé. Pourquoi ai-je toujours le besoin de me défendre ?

J'observe mon poing, je l'ouvre et je le ferme.

« Ne détruis pas ce que tu tiens à peine dans la main. »

Et la jeune fille revoit les yeux brillants d'Abbâs et la sandale en plastique posée sur la table du salon, la pierre avec son prénom gravé dessus, le sourire forcé de son oncle à travers la vitre de la prison, elle entend la voix de Nouchâbé, elle voit ses parents accroupis dans le jardin enterrant leurs livres, le visage en colère de sa grand-mère, ses crises de nerf quand il fallait donner ses jouets, la peur dans les yeux de ses parents, les bâtons plantés de clous, le passeport dans les mains du policier, la mère enceinte qui saute, le père qui est debout dans un terminal à Orly, les images défilent devant elle en boucle, et un mot qui se répète, son mot à elle, inexplicable, un masque collé à la peau, celui qui englobe et règne sur tous les autres : exilée.

Ma mémoire d'enfant

Je revois

Les doigts ridés et perclus d'arthrose de mon arrière-grand-mère à quatre-vingt-dix-huit ans qui cherchaient une pofak[1] au fond du sachet que je lui tendais à quatre ans.

Tous ces poissons rouges qu'on a sacrifiés à un dieu inconnu dans le petit hoz[2] de ma grand-mère au fond de son jardin avec mes cousins et cousines, puis enterrés solennellement selon un rite funéraire que nous avions inventé et dont nous étions très fiers.

Les sucreries offertes en cachette par mon arrière-grand-père, les chansons qu'il me chantait sur ses genoux en imitant le galop d'un cheval, sa barbe piquante et clairsemée que je touchais prudemment du bout des doigts, comme s'il s'agissait d'un hérisson somnolent et qui pouvait se réveiller à chaque instant. Parfois, il gonflait sa joue et

---

1. Une sorte de chips
2. Petite fontaine au milieu d'un jardin

quand je la touchais, il laissait expirer l'air avec un grand bruit et je sursautais en criant.

Les sirops de griotte que ma grand-mère apportait glacés dans le grand salon aux rideaux tirés juste avant la sieste. Le bruit des glaçons dans le verre quand on remuait avec une grande cuillère argentée le sirop tapi au fond.

La chaleur torride des étés de Téhéran, l'asphalte qui m'a brûlé les pieds quand j'avais deux ans lorsque j'avais déboulé dans le jardin en plein après-midi. Mes grosses larmes salées qui creusaient des sillons le long de mes joues, inconsolable.

La fraîcheur du nord de l'Iran où on allait respirer l'été dans une villa, les gros hortensias roses et bleus du jardin que ma mère accrochait à mes cheveux, de peur qu'ils ne tombent je faisais attention au moindre de mes mouvements et je mouvais mon corps avec une lenteur exagérée qui faisait rire mes parents.

La mer Caspienne poisseuse et polluée qui nous donnait une peau de poisson, collante et luisante. Les douches chaudes pendant lesquelles ma mère frottait ma peau énergiquement, pestant contre nos baignades dans cette eau polluée.

Notre rue déserte les après-midi du mois d'août où le vent et la poussière traînaient leur valse quotidienne en tournant sur eux-mêmes. L'ennui, la lassitude de ces heures creuses et caniculaires où il n'y avait rien à faire.

Les kakis bien mûrs que j'allais cueillir dans le jardin de ma tante, je les pressais jusqu'à faire éclater leur chair visqueuse et j'adorais la sensation âcre que certains pas tout à fait mûrs laissaient sur ma langue.

La neige qui tombait tout l'hiver sur les montagnes de l'Alborz, notre jardin devenait alors tout blanc et je m'amusais à laisser mes empreintes partout. Je marquais le moindre petit espace de mes mains et de mes pieds.

Les gamins du quartier qui venaient jouer chez moi. Moi, reine tyrannique et eux, mes pauvres serviteurs. Il m'arrivait de les frapper très fort, au grand désespoir de mes parents qui voyaient là de brusques sursauts d'impérialisme mal éradiqués en moi.

Les feuilles mortes de l'automne que je ramassais pour ma grand-mère dans sa rue, leur odeur de moisissure, d'humidité et de terre mouillée. Je les jetais à ses pieds comme une offrande, comme un prélude à la mort qui nous attendait. Et je trouvais que ses cheveux avaient la même couleur que les feuilles.

La première dent de lait arrachée avant qu'elle ne tombe d'elle-même, avec un fil accroché à la poignée de la porte. Mon oncle aîné (le même qui giflait ma mère quand elle voulait manifester) avait appuyé d'un coup sec sur la poignée de la porte et la dent avait été extirpée avec une douleur inouïe puis il me l'avait montrée avec un sourire de satisfaction : elle se balançait sous mon nez, suspendue au fil. Les larmes avaient coulé pendant des heures, blottie dans les bras de ma grand-mère, et pendant deux ou trois jours je fuyais mon oncle démoniaque dès que j'entendais sa voix ou ses pas dans la maison.

Le poussin que j'avais poursuivi dans un village du nord de l'Iran. Dans sa course pour échapper à mes griffes, il avait marché sur un brasier mal éteint et s'était brûlé les pattes. Je m'en voulais tellement que pour faire pénitence je m'étais enfermée toute la journée dans une chambre obscure et avais refusé de manger quoi que ce soit.

Le parc Laleh juste à quelques mètres de la maison de ma grand-mère où le plus jeune frère de ma mère, alors âgé de dix-sept ans, m'emmenait plusieurs fois par semaine. Il fumait clope sur clope, il avait toujours les yeux un peu mouillés, mouillés d'un trop plein d'émotion pour la vie. Il me couvrait de baisers et me portait sur ses épaules. Il m'achetait tout ce que je voulais. Je rentrais de là les doigts collants de sucre et de glace et la bouche barbouillée du colorant rouge ou vert des sucettes, l'air repu et satisfait.

Les promenades en voiture avec mon oncle Saman dans les rues de Téhéran, le soir couchant. Les lumières des enseignes clignotantes, la vie nocturne qui grouillait derrière la vitre de la voiture mêlée à la musique des Rolling Stones que mon oncle écoutait avec ferveur à cette époque. Il parlait sans cesse et commentait tout ce qu'il voyait. C'était mon cinéma à moi, confortablement assise sur les genoux de ma mère, les images du dehors défilaient, commentées par la voix off de mon oncle comme dans un documentaire.

Le bruit doux du chapelet de ma grand-mère paternelle. On l'appelait Maman Djân[1]. C'était une femme très pieuse, elle égrenait doucement, presque amoureusement, son chapelet quand elle priait. Le murmure de ses paroles mystérieuses adressées à Dieu, sa face sereine et apaisée, ses yeux fermés, la ride de concentration entre ses deux sourcils, le voile fleuri qui recouvrait ses longs cheveux blancs. Je l'observais debout sur le seuil de la porte, je n'osais pas entrer, retenant presque mon souffle pour ne pas la déranger.

Le corps svelte de ma cousine aînée qui se déhanchait dans notre salon sur de la pop iranienne, sa chevelure épaisse qui se soulevait et son sourire plein de promesses, sa beauté insolente qu'elle m'offrait le temps d'une danse.

Nos jeux d'enfants, le soir, jusqu'à une heure tardive dans le jardin, avec mes cousins et cousines, avec mes voisins et voisines, et ce malgré la menace des bombes et des sirènes retentissantes. La vie continuait, toujours, quoi qu'il arrive. On montrait du doigt les bombardiers qui allaient se perdre à la frontière irakienne.

Mon grand-père, qui avait la fâcheuse habitude de dormir n'importe où dans la maison, formant

_____
1. « Maman chérie »

un obstacle infranchissable. En plein milieu du salon alors que les invités n'allaient pas tarder à arriver ; parfois au milieu du couloir ou devant l'entrée : il fallait alors enjamber la montagne. Mais plus grave était quand il avait jeté son dévolu sur le sol du jardin, cela nous mettait en rogne, nous les enfants, car l'espace du jardin était sacré pour nous, c'était notre terrain de jeux et la masse corporelle de mon grand-père empêchait tout déplacement ; son corps endormi était l'extinction de tout élan imaginaire.

L'odeur du halva, dans la cuisine, qu'on préparait pour les morts. On l'apportait sur la tombe de mon arrière-grand-mère le vendredi saint pour le manger là-bas. Les bouchées brûlantes dans la casserole, que mes cousins et moi attrapions à même les doigts, à la dérobée, et les éclats de rire quand l'un de nous se brûlait.

Mon cousin Omid que j'adorais prendre dans mes bras et qui détestait être porté dans les bras. Il se laissait faire quelques minutes, probablement pour me faire plaisir, puis se mettait à pleurer mais moi, téméraire, je tenais bon jusqu'à ce qu'il hurle dans une crise presque épileptique pour que je le relâche.

Ma voisine Sahar qui était très pauvre et qui venait jouer chez nous, elle touchait mes jouets comme des trésors rares. Je les lui prêtais, fière de mes biens, heureuse de ce que je possédais. Ne pouvant soupçonner un seul instant que j'en serais dépossédée bientôt.

Mes fêtes d'anniversaire qui faisaient de moi une véritable princesse. Les bougies que je soufflais, les années écoulées que je fêtais devant les yeux de ma famille réunie, les chants de mon père et de son frère, le tar et le santoor dont ils jouaient et qui se mêlaient aux cris des manifestants et des bombes.

Les pages de mes livres d'enfant que les doigts de ma grand-mère tournaient sous mes yeux conquis et pleins de lumière, mes yeux qui s'émerveillaient de la magie des histoires contées, la beauté des mots alignés, les mondes qu'ils faisaient surgir dans mon monde.

Les doigts de ma mère qui formaient des bouchées de riz mêlé à la sauce des ragoûts qu'elle portait à ma bouche. J'adorais quand elle me nourrissait avec ses mains et non avec des couverts. Je léchais ses doigts et parfois j'avais envie de lécher sa main puis son bras puis elle tout entière tant mon amour pour elle était débordant à ce moment-là.

Mon père, accroupi dans son garage, à frapper, poncer ou souder je ne sais quel matériau, la cigarette au bec et répondant vaguement à mes questions, complètement absorbé par son ouvrage.

Au bout de notre rue à Téhéran, il y avait une école maternelle. Dans la cour de l'école, un immense et vieux chêne qui veillait sur tous ces petits enfants. Ses branches comme autant de bras semblaient envelopper et protéger les premiers pas des écoliers sur le chemin de la vie.

Ces premiers morceaux de ma vie, l'un après l'autre, avaient formé ma sensibilité et représentent ce que j'ai de plus précieux aujourd'hui, mon enfance. Un jour, ils ont été coupés, déracinés, et jetés dans le trou du passé, dans une région inatteignable. C'est à se demander parfois si tout cela a existé.

Je cherche un grand chêne dans la cour de l'école pour veiller sur moi.

TROISIÈME NAISSANCE

« Le Temps est le plus sage
car il découvre tout. »

THALÈS

Il était une fois

Dans un champ de blé flamboyant une fille et son père. Le père travaillait la terre, un chapeau de paille lui couvrant la tête. Une barbe blanche dorée par le soleil entourait sa bouche. Il avait la peau craquelée comme la terre qu'il remuait de ses mains géantes et vigoureuses, traversées par de grosses veines violettes semblables à des fleuves. Quand la fille l'apercevait au loin dans le champ, il lui semblait voir un arbre solidement ancré dans le sol, avec ses bras qui se soulevaient et s'abaissaient au gré du vent. Elle restait souvent des heures à contempler cette silhouette lointaine, et imaginait son père métamorphosé en arbre pour l'éternité. Elle se voyait assise à ses pieds, caressant l'écorce, lui racontant les choses de la vie dans cette langue que lui seul parlait encore.

Un jour son père voulut lui apprendre à lire et écrire dans cette langue. Il l'avait emmenée au milieu de ce champ de blé et lui avait demandé d'être sage et attentive. Ses paroles résonnent encore dans sa tête :

— Écoute-moi bien, ma fille. Apprendre une langue demande de l'effort, de la patience et de l'amour. Je vais t'apprendre une langue qui finira par mourir si tu l'oublies un jour. Tu dois t'en rappeler et tu l'enseigneras à ton tour, ainsi elle vivra encore et encore dans la bouche, la tête et le cœur des hommes.

Elle ne comprenait pas ses paroles et n'aimait pas la gravité de sa voix et encore moins la tristesse dans ses yeux. Elle se faisait une joie d'apprendre à écrire et à lire mais elle se rendait compte que cela n'avait rien d'amusant. Elle devait sauver de la mort une langue agonisante. Tout cela pesait lourd : chaque mot appris serait une pierre supplémentaire sur ses épaules, et toutes ces pierres finiraient par l'écraser.

Alors, elle eut peur et refusa d'apprendre et plaça sur sa bouche un gros verrou en fer.

Le père comprit la peur et le refus de la fille, baissa les yeux et sans rien dire retourna travailler la terre.

Elle se souvient et regrette.

À présent elle comprend le sens de ses mots, elle comprend la gravité de sa voix, elle comprend la tristesse de ses yeux. Mais le regret lui chuchote malicieusement à l'oreille : il est trop tard.

Quelques années après, à l'école, elle avait appris une autre langue. Cette nouvelle langue était légère et bien vivante. L'apprendre était un plaisir et un jeu, la parler était nécessaire pour se faire des amis, la connaître parfaitement était une fierté et lui assurait une place et une identité au sein de son école et plus tard dans la société. Elle trouvait si extraordinaire cette langue débordant d'utilités qu'elle oublia très vite l'autre langue, qui entama dès lors sa lente agonie.

Quelques années après, elle parvenait à peine à échanger quelques mots avec son père. Ce dernier quand il l'entendit parler cette nouvelle langue ouvrit grand les yeux. Il ne comprenait pas un seul mot. Il fut d'abord stupéfait puis il eut peur et refusa d'apprendre cette langue. Comme elle, il plaça sur sa bouche un gros verrou en fer.

La fille à son tour comprit la peur et le refus de son père et, sans rien dire, elle retourna apprendre de nouveaux mots et dessiner de nouvelles lettres de l'alphabet.

Elle se souvient et regrette.

Elle se dit parfois que si elle avait fait un effort pour apprendre la langue de son père, il aurait peut-être lui aussi fait un effort pour apprendre la langue de son école. Peut-être, oui. Mais le regret lui chuchote malicieusement à l'oreille : tu ne pourras jamais en être sûre car il est trop tard maintenant.

Quelques années après, son père mourut et au même moment au terme d'une longue agonie, sa langue expira, elle aussi.

La fille eut la même tristesse dans les yeux que son père ce fameux jour où il voulut lui enseigner sa langue. Cette langue, comme elle aurait voulu l'apprendre, comme le regret l'étouffe à présent. Alors elle retourna au milieu de ce champ, sage et attentive comme il le lui avait demandé, jadis. Elle regarda le sol un long moment et soudain, une impulsion violente et irrésistible s'empara de ses mains et ses doigts se mirent à creuser avec fureur la poussière ocre du champ de blé. Comme par miracle, elle découvrit, enfouies dans la terre, les lettres de l'alphabet, de son alphabet à lui. Il les avait cachées pour elle comme un trésor. Elle les prit délicatement du bout de ses doigts. Elle les posa sur sa bouche et dégusta les yeux fermés la saveur de cette langue. Elle assembla les lettres et retrouva la mémoire des mots, de leurs mots.

Elle se souvient et voit son père au milieu du champ de blé flamboyant. Il travaille la terre et elle l'imagine métamorphosé en arbre pour l'éternité. Elle est assise à ses pieds et caresse l'écorce. Elle lui raconte les choses de la vie dans cette langue qu'elle seule parle encore.

La langue retrouvée

2002 – Sorbonne –
Bibliothèque Georges Ascoli

Je me dirige vers le fond de la bibliothèque. Il y a une petite pièce entassée de livres, de journaux, de papiers. Les étagères montent jusqu'au plafond. C'est le bureau des enseignants, tour à tour ils y reçoivent les étudiants. Le lundi, c'est M. J. L. B, professeur de littérature française et comparée.

Je frappe. Une voix douce dont les cordes vocales semblent un peu usées comme si on les avait trop frottées m'invite à rentrer. J'ai l'impression de pénétrer dans la caverne du savoir avec au milieu un vieux sage assis comme dans ces miniatures persanes, la barbe blanche, les yeux souriants et profonds. Il doit avoir environ soixante-dix ans.

Il a les mains posées sereinement sur le bureau. Il ne dit rien, il me regarde en souriant. Il attend. Il pourrait attendre des heures sans que ça le dérange. C'est un homme qui n'est pas pressé. Je me sens à l'aise face à lui.

— Je viens d'essuyer cinq refus de la part de vos collègues. Ils ont refusé de diriger ma recherche en littérature comparée. J'aimerais travailler sur Omar Khayyâm et Sadegh Hedayat, ce n'est pas encore très précis mais je sens qu'un rapprochement intéressant peut se faire entre les deux. Je parle très bien persan mais je l'écris et je le lis très mal. Il me faudra donc me remettre à niveau avec l'aide d'un professeur particulier. J'ai déjà les coordonnées d'un enseignant de persan. Je m'excuse mais cela va être un peu bancal et laborieux comme travail. Acceptez-vous d'être mon directeur de recherche pour mon mémoire ?

— Mais bien entendu ! Je suis ravi de votre proposition. Allons-y ! Je suis un grand passionné de littérature persane et arabe, mon niveau de langue est très faible, peu importe, sortons des sentiers battus. Je n'en peux plus des mémoires du type « Les papillons dans Balzac ». C'est très bien parce que je sens que vous allez m'apprendre des choses.

Et il éclata d'un rire franc et libre. Il était comme un enfant émerveillé.

Je sors du bureau. Je suis très émue. Je contacte immédiatement l'enseignant de persan. Je ris un peu intérieurement à l'idée de reprendre ces cours que j'avais refusés dix-sept ans avant. C'est mon père qui va se vanter de sa grande clairvoyance : tu vois, je te l'avais dit quand tu étais petite, j'avais vu juste, mais à l'époque tu n'avais pas voulu, tu faisais des chichis, têtue comme tu es. Et regarde, à vingt-deux ans, tu vas tout reprendre à zéro.

Oui je reprendrai tout, mais ce n'est plus la même petite fille, ce n'est plus le même persan aussi.

Et pendant un an, je suis allée trois fois par semaine chez M. Kermani dans le 10e arrondissement à Paris, rue Vicq-d'Azyr, et ironie du sort, son appartement était situé à deux pas de ma première école primaire. Je passais à chaque fois devant pour me rendre chez lui.

La réconciliation

Une jeune femme est assise sur un banc en face d'une école primaire. Elle fixe la grande porte bleue et le drapeau suspendu au-dessus. Elle est pensive et sa mémoire voyage à travers le temps.

Elle a six ans. Elle se revoit face à cette même porte, assise sur le même banc lorsqu'elle avait fui l'école et que sa grand-mère lui était apparue. De l'eau a coulé comme on dit. De l'eau, du vent et de la poussière. Le temps, ces jours enfilés les uns à la suite des autres comme un collier, a changé la petite fille muette et têtue en une femme toujours aussi têtue mais avec une langue qui se délie et se libère de plus en plus.

Elle ressent à nouveau la tristesse de cette première année en France. Mais elle sent aussi une joie timide qui pointe doucement le bout de son nez : la joie de la réconciliation. Enfin, elle déterre ses racines dans ce terreau qui ne sent plus le passé mais l'avenir.

Un étrange bruit attire son attention. C'est le bruit d'une canne qui frappe le pavé. Elle tourne la tête et voit une vieille femme avancer vers elle. Elle a le visage recouvert mais un parfum familier et rassurant se dégage d'elle. Elle s'assoit près d'elle sur le banc.

— Je te l'avais dit : tu reviendras vers moi. Tu es revenue à présent.

— Vous êtes qui ?

— Tu ne me reconnais pas ? Je suis ta langue maternelle. Je t'ai attendue tout ce temps.

J'ai traîné pendant des années devant cette école, assise durant des heures sur ce banc. J'étais près de toi à tous tes cours, du collège au lycée. Je me cachais dans un coin lorsque tu griffonnais des pages et des pages dans les amphis de la Sorbonne. J'ai même arpenté chaque rue où tu as habité. Je suivais tes pas et je t'attendais à la sortie des bars parisiens branchés, je m'asseyais quelques sièges plus loin dans les théâtres, les cinémas, les salles de concert. Je me promenais lentement sur le pont des Arts lorsque tu y demeurais pendant des heures à lire ou à parler avec tes amis peintres. J'ai essayé de m'immiscer discrètement dans ta vie mais sans forcer les choses. J'étais tellement heureuse lorsque tu as décidé d'étudier la littérature. Et lorsque tu as choisi Hedayat et Khayyâm, j'ai sauté de joie malgré ma jambe boiteuse. J'ai pleuré à dire vrai parce que je savais que tu venais de trouver le fil qui te guiderait vers moi. Nous allions faire la paix.

Je m'en vais maintenant, tu m'as trouvée, je n'ai plus besoin de te poursuivre en douce.

La vieille femme se lève et d'un pas tranquille et presque aérien, elle glisse sur le sol de l'avenue Claude-Vellefaux du 10e arrondissement de Paris.

Puis elle disparaît à l'angle de la rue. La jeune femme s'aperçoit qu'elle a oublié sa canne posée sur le banc. Elle veut l'appeler mais il n'y a plus aucune trace de la vieille femme.

Elle observe cette canne, elle sent qu'elle a été oubliée volontairement.

Elle l'emporte avec elle.

Le retour

C'est le grand retour ce soir. Le retour au pays natal.

Les mains moites et le foulard sur mes genoux, je rentre en Iran.

Dix-sept ans avant, Téhéran – Paris.

Ce soir, Paris – Téhéran.

Voyage inverse, retour en arrière.

Je me demande si je vais retrouver la petite fille de 5 ans là où je l'ai laissée.

Les mains moites prennent un carnet noir et un stylo, j'essaie d'écrire pour me calmer mais ça ne sort pas. L'émotion est une boule trop grosse et compacte pour que je puisse la décomposer en mots.

C'est un morceau qui est bloqué au milieu de ma gorge, ça ne descend pas, ça ne remonte pas.

Je demande un verre d'eau à l'hôtesse voilée. Je bois. Même l'eau ne passe pas.

Je ferme les yeux et essuie mes mains sur mon manteau ample qui me recouvre des épaules aux pieds.

J'attache mon foulard, j'y enfonce quelques mèches rebelles, je respire. Tout va bien se passer.

Contrôle de police. Je serre mon passeport dans mes mains. Mon cœur bat très vite. J'ai peur. Tout va bien se passer. Pourquoi ça se passerait mal ? Il n'y a absolument aucune inquiétude à avoir.

Le policier regarde attentivement mon passeport iranien. Il tourne les pages.

— Vous n'êtes pas revenue depuis combien de temps ?

— Dix-sept ans.

— Votre passeport est flambant neuf.

— Oui, je viens de l'obtenir.

— Et avant ça ? Vous n'aviez pas de passeport ?

— Si, un passeport français.

— Mais vous êtes née en Iran.

— Oui mais j'ai grandi en France.

— Vous aviez donc quitté le pays.

— Oui, avec ma mère.

— En quelle année ?

— En 1986, je sais pas l'équivalent dans le calendrier iranien.

— Pourquoi vous y retournez après tout ce temps ?

— Je veux revoir ma famille.

— Attendez ici.

Il est parti avec mon passeport. Je regarde autour de moi, je ne connais personne. Mes mains sont de plus en plus moites et ma respiration devient courte et saccadée. Tout va bien se passer.

Maman, pourquoi le monsieur barbu
a pris notre passeport ?

L'homme revient. Il tamponne le passeport et
me le tend.

Je respire. Je mets la main devant ma bouche
pour ne pas pleurer. Tout va bien se passer.

Ma fille, plus jamais tu ne revivras ça,
plus jamais.

Est-ce qu'on va me reconnaître ?

J'entends mon prénom.

On m'appelle. D'où viennent les voix ? Je ne
sais pas. Elles sont nombreuses. Je cherche, je
regarde autour de moi. Les voix s'approchent.
Je franchis la porte qui sépare les voyageurs de
ceux qui sont là pour les accueillir.

Je vous vois. Je reconnais certains visages. C'était
vous qui m'appeliez tout à l'heure.

Je plonge.

On m'attrape et on m'emporte, des mains
prennent mes bagages, on me serre fort, je
passe de corps en corps, je ne vois même pas qui
m'embrasse ou m'enlace, on me met des bébés
et des fleurs dans les bras. Des bébés que je
n'ai pas vus naître et qui sont désormais mes
petits cousins et cousines. Je vois de jeunes cousins qui m'embrassent, ils avaient deux ou trois
ans à l'époque. Mon Dieu, ce sont des hommes
aujourd'hui. Des mains me caressent la tête,
les joues, les épaules. On me tend toujours des

enfants qui déposent des bisous baveux sur ma joue, puis les bébés font place à d'autres bouquets de fleurs et les fleurs sont remplacées par des embrassades d'adultes et je m'abandonne à cette vague de tendresse qui s'abat sur moi.

Je reconnais ma tante, Ameh Aziz, elle pleure à chaudes larmes. Son corps m'enveloppe comme du coton chaud.

Je vois aussi dans la foule le visage de mon oncle Saman, celui qui a fait huit ans de prison, il s'approche de moi et je saute dans ses bras. Il ne dit rien, il me prend la main, il veut me montrer quelque chose, la foule s'écarte un peu et je t'aperçois.

Tu es là.

Tu es sagement assise avec tes béquilles posées sur la chaise à côté de toi. Tu as noué sur ta jolie tête un foulard vert clair et tu as un long manteau bleu marine. Tu me vois. Nos yeux se rencontrent enfin après tout ce temps.

Tu me souris, tes yeux sont mouillés. Les miens se retiennent de pleurer.

Tu veux te lever, mon cousin aîné court pour t'aider. Tu l'écartes avec ta béquille et tu lui dis d'un ton ferme : « Pousse-toi, je n'ai besoin de personne, ça fait dix-sept ans que je n'ai pas vu ma première petite-fille, elle a fait le voyage pour revenir ici, et ce soir je vais me lever pour elle, je vais me lever toute seule sans l'aide de personne, sans même mes béquilles ».
Je ne bouge pas, je te regarde te lever, comme tu es fière et belle. Tu as du mal mais tu le

fais lentement, avec beaucoup d'efforts. Tes jambes tremblent et ta main tente de s'agripper à quelque chose dans le vide. Mais tu le fais, tu es obstinée comme ta petite-fille.

Te voilà debout devant moi. Statue inébranlable, à cet instant personne ne peut te renverser tant ta force est grande.

Je m'approche de toi à petits pas, j'ai peur de te briser, de rompre le fragile équilibre sur lequel tu tiens. J'ai peur aussi que tu disparaisses d'un coup de baguette magique comme dans le passé.

Enfin, je t'attrape dans mes bras. Je plonge ma tête dans ton cou et je respire mon enfance.

Nous sommes toutes les deux debout, et c'est toi qui me soutiens.

L'amant

Mon cousin habite une grande maison dans le centre de Téhéran et ce soir, il organise une grosse « party » pour me prouver qu'à Téhéran les jeunes ont un sens aigu de la fête et rien à envier aux jeunes Occidentaux. Ils ont recouvert les vitres de la maison de papier aluminium pour ne pas être vus de l'extérieur. Je n'ai jamais vu autant de bouteilles d'alcool, d'ecstasy, de cocaïne défiler sous mes yeux. Je parais finalement très sage comparée à eux.

Je l'ai rencontré ce soir-là.

Deux grands sourcils noirs, gardiens de son regard intrépide, indomptable. De purs sourcils d'Iranien.

Ses yeux ont la couleur de la terre brûlée et du goudron, mêlés à des éclats de nuit.

Sa peau mate raconte un tas d'histoires : elle est tatouée de nombreuses cicatrices.

Coups de couteaux, lames de rasoir, brûlures, éclats de verre, coupures. Comme tu maltraitais ton corps.

Accidents de moto, de voiture, règlements de compte, bagarres, désir de mourir, fièvre du danger, flirt avec la mort, châtiments en prison, automutilations. Tu avais des fautes à expier.

Je ne pourrai pas te chanter le *Cantique des cantiques*. Non, mon bien-aimé n'est pas « frais et vermeil », sa tête n'est pas d'or, ses joues ne sont pas « des parterres d'aromates », « des massifs parfumés », son ventre n'est pas « une masse d'ivoire, couverte de saphirs », ses jambes sont peut-être des « colonnes de marbre » mais elles ne sont pas posées sur des « bases d'or pur ».

Mon bien-aimé a la peau tailladée de mille blessures.

Sa tête de charbon est vallonnée de bosses. Sa peau a l'éclat du bronze et la dureté du cuir. Ses joues sont parsemées de petites entailles roses. Son torse est un maquis incendié. Son ventre remue de mystérieuses haines mal cicatrisées. Ses jambes sont parcourues de rivières rouges boursouflées. Ses pieds abîmés sont tamponnés de taches brunâtres encore douloureuses.

Et de tout son corps émane une odeur de sueur, de gasoil et de riz beurré.

Ta peau est une tapisserie iranienne : elle me raconte des histoires persanes qui sentent le sang et la violence. Étrange livre que tu me laissais parcourir au fur et à mesure de nos étreintes amoureuses.

Sur ton front et ta joue, il y a une cicatrice. J'avais 16 ans, une fille que j'aimais comme un fou m'a quitté et, après le dernier coup de fil que j'ai reçu d'elle, j'ai foncé dans la fenêtre de ma chambre. La vitre s'est brisée sur mon visage.

Sur ton cou, il y a une trace de brûlure. Accident de voiture, je conduisais ivre mort, je suis rentré dans un mur. La ceinture m'a brûlé la peau. Je voulais mourir.

Sur ton torse, à côté du cœur, une belle balafre. Je venais de me disputer très violemment avec mon père. J'ai vidé une bouteille de tequila tout seul puis j'ai pris un couteau de cuisine et j'ai ouvert ma peau. Pour aller encore plus loin dans la douleur, j'ai aspergé la plaie de sel et de citron. C'était ma tequila paf à moi.

Sur ta cuisse, une grande cicatrice qui la traverse. Une fille se faisait emmerder dans la rue par des mecs. J'ai voulu la défendre, je me suis battu avec les mecs. Ils étaient quatre. L'un d'entre eux m'a donné un coup de poignard dans la cuisse. La fille a réussi à s'enfuir.

Sur ton genou, un truc dur sous la peau. C'est une vis qu'on m'a greffée. Accident de moto, je faisais la course comme un con avec un autre motard. J'ai dérapé. Mon genou s'est explosé par terre.

Sous la plante de tes pieds, des taches brunâtres. C'est des brûlures de cigarettes, je me suis fait attraper parce que je vendais du shit. On m'a fait ça en prison pour que je révèle le nom des mecs qui me fournissaient la drogue.

Si je me rasais la tête, tu en verrais d'autres : des bouteilles et des verres qu'on m'a éclatés sur le crâne pendant de grosses bastons dans la rue ou dans les soirées.

Et je suis tombée amoureuse de toi. Je suis tombée amoureuse d'un grand voyou de Téhéran. Encore une fois, l'Iran m'est tombé dessus. Son poids ne m'a pas écrasée : tes blessures ont pansé les miennes.

Tu conduis une moto. Je suis assise derrière. Je serre fort tes hanches robustes de géant. Mon foulard glisse sur mes cheveux. Des mèches s'envolent. Je goûte à une liberté délicieuse faite de risque et de folie. Tu me dis des mots d'amour tout en conduisant. Tu cries : « Je suis fou de toi, mademoiselle la Parisienne, moi le lascar sauvage de Téhéran. »

Je ris et chaque morceau de rire est emporté par le vent chaud qui souffle dans cette ville en ce mois d'août 2003 pour tomber dans l'oreille d'un ou d'une passante.

Les heures passées sur cette moto. Les ruelles malfamées et pauvres du sud de Téhéran que tu m'as fait découvrir. Les visages vus, la pauvreté, la religion macérée, le tchador noir des femmes, femmes-corbeaux au visage caché, des enfants jouent au foot avec un ballon à moitié crevé, les commerçants et leurs échoppes misérables, les maisons délabrées d'où sortent des odeurs de curcuma et de riz, des hommes égrènent leur chapelet et caressent leur barbe.

Les passants nous regardent traverser ces rues, ils tournent la tête sur notre passage. Mon foulard rouge et mon manteau jaune, ton

T-shirt vert et ton jean bleu sont les seules taches de couleur dans ce paysage délavé, recouvert de poussière.

Nous sommes des étoiles filantes de couleur sur une toile grise.

— Ton corps, c'est l'Iran.

Tu exploses de rire. Tu me regardes, l'air amusé.

— Ah oui ? Comment tu fais pour parler comme ça ? Où tu vas chercher des trucs pareils ?

— Je suis une poète, moi, monsieur.

— J'avais remarqué. Donc mon corps tout défoncé, c'est l'Iran ?

— Oui. Tes blessures, tes écorchures, tes cicatrices, c'est le symbole de l'Iran meurtri et abîmé. L'Iran saccagé par les ayatollahs. Tu incarnes cette jeunesse détruite, pas seulement la jeunesse, mais le pays tout entier.

Tu ris encore plus fort. Puis, tu prends mon visage dans tes mains :

— J'aurais jamais pensé que ça pouvait être aussi drôle de sortir avec une intello.

— « Drôle » ? Je te parle d'un truc hyper sérieux et tu trouves ça « drôle » ?

Tu me fermes la bouche en m'embrassant de toute ta douceur brutale.

Aller-retour à vie

Septembre 2003 – Téhéran
– la veille de mon départ

— Non. Je ne partirai pas. Je ne prendrai pas l'avion.

Ma grand-mère soupire. Elle a l'air très fatiguée. Je sens que je l'épuise. Cela fait une semaine que je m'obstine à vouloir rester vivre en Iran.
   Le téléphone sonne. Elle décroche. C'est ma mère. Elle veut me parler.

— Tu vas prendre l'avion ou pas ?
— Non, je te l'ai déjà dit. Je ne rentrerai plus jamais en France.
— Mais qu'est-ce que tu racontes ? T'as perdu la tête.
— C'est ma patrie, j'y reste.
— Tu veux porter le voile ? Tu veux vivre sous la charia ? Tu veux être considérée comme une sous-merde parce que tu as un vagin ? C'est ça ta patrie.
— Oui et je l'accepte. Je me sens chez moi ici.

— Bon sang, Maryam, si tu ne rentres pas, je viendrai te chercher moi-même.

— Tu ne peux pas, tu es réfugiée politique.

— Je viendrai même si je dois mourir pour ça.

— Écoute, c'est pas la peine de jouer les mères responsables aujourd'hui, c'est trop tard.

Elle a raccroché. Je l'ai poussée à bout.

Je m'en fiche. Je ne rentrerai pas. Elle finira par comprendre avec le temps.

Je me tourne vers ma grand-mère. Son visage est très sévère. Elle me dit d'allumer une cigarette pour elle et de servir le thé.

Elle fume silencieusement sa cigarette sans me regarder.

Elle l'écrase dans le cendrier et boit son thé. Je déteste quand elle a ce visage dur et autoritaire.

— Écoute-moi bien Maryam. Écoute ce que je vais te dire et je ne le répèterai pas deux fois. Si tu refuses de rentrer en France ce soir, tu briseras toutes les colonnes de ta vie. Tu seras une feuille, une pauvre feuille emportée n'importe où par n'importe quel vent. Tu es revenue dans ce pays après tout ce temps et tu t'es noyée dans l'océan des origines. Il fallait s'y attendre. C'est normal. Mais je ne te laisserai pas détruire ta vie. Tes parents ont payé cher pour que tu grandisses là-bas.

— Voilà, encore la dette, la dette que je leur dois, j'en peux plus de cette dette. Je veux vivre en Iran. C'est ma patrie : « vatanam »[1].

— « Vatanet » ? Ta patrie ? Un suicide oui. Tu es trop libre pour ce pays. Ton éducation

_____

1. Vatanam : « ma patrie » en persan.

a fait de toi une femme libre, tu ne peux plus vivre ici.

Je me lève et claque la porte de la chambre dans laquelle je me réfugie. Je me mets à pleurer. Je suis prise au piège. Je ne peux plus vivre en France. Je ne peux pas vivre en Iran. J'ai envie de disparaître.

J'entends ma grand-mère qui crie :

— Tu rentreras à Paris, sinon je me tue. Tu peux en être sûre.

Comme c'est souvent le cas dans la famille de ma mère, tout le monde a envie de se tuer dès qu'un conflit prend une certaine ampleur. J'ai également hérité de cette fâcheuse tendance.

Et moi je crie de ma chambre :

— Si je rentre, je vais me tuer. Tu peux en être sûre.

— Maryam, reviens dans ce salon, je t'en prie.

Je suis debout devant elle. Elle me supplie de rentrer d'une voix brisée et je finis par accepter.

C'était le premier voyage, le premier retour à la terre-mère, la première descente vers l'origine. Une descente ou une chute, je ne sais pas. J'ai failli perdre la tête. J'ai glissé sur mon identité. Je suis tombée.

Il y a eu d'autres retours par la suite. Des retours plus courts, plus apaisés, plus lucides, moins déchirants, et la tête était bien vissée sur son socle. Je me suis relevée.

Il y a eu aussi le soulagement d'un autre retour : le retour en France et le sentiment de m'y sentir un peu chez moi malgré tout. L'Iran, dépouillé de mes fantasmes et de mes idéalisations, était de plus en plus difficile à supporter. Je n'ai jamais idéalisé la France.

Mais toujours l'Iran m'appelle, voix en sourdine, présence derrière mon dos, il me tapote l'épaule pour me rappeler à lui. Par devoir, par culpabilité, par peur de ne plus revoir les vieux, par rituel, par amour peut-être aussi, je me sens poussée à y retourner régulièrement.

Une femme libre ?

« Ton éducation a fait de toi une femme libre, tu ne peux plus vivre ici... »

C'est décidé : on rentre tous vivre en Iran. La maison est en vente. Des gens viennent la visiter.

J'ai douze ans. C'est l'été. Je fais du vélo en short et débardeur dans notre rue. Mon père m'observe et dit à ma mère, pensif et inquiet : « Elle ne pourra jamais faire ça en Iran, cette chose si simple : du vélo en short et débardeur. On ne peut pas partir. Je ne peux pas lui enlever cette liberté si innocente. »

J'ai seize ans. Je suis très amoureuse d'un garçon. Je veux qu'il vienne dormir à la maison. Mon père se fâche, hurle, tape du poing sur la table. Il est tout rouge, pris au dépourvu, ne s'étant jamais préparé à une telle situation. Je résiste. J'insiste et à la fin je lui balance : « Oui ma petite Maryam, nous avons quitté l'Iran pour que tu grandisses dans un pays libre et moderne avec une éducation libre et moderne pour que tu deviennes un jour une femme libre et moderne.

La bonne blague ! » Je monte dans ma chambre et je claque la porte de toutes mes forces.

Quelques heures après, mon père m'appelle. Je descends. « Nous avons discuté avec ta mère et elle m'a permis de comprendre que tu ne faisais rien de mal en voulant inviter ce garçon chez nous. Je suis curieux de le rencontrer. »

J'ai dix-huit ans. Je saute dans les bras de mon amoureux. Il a la voix de Gainsbourg et la tête de Brel. Je suis folle de lui. Nous nous embrassons sur les bancs du canal Saint-Martin, parfois nous fumons et parlons jusqu'à l'aube en marchant le long des quais de Seine. Il me chante « Black Trombone » ou « La Chanson de Prévert » de Gainsbourg.

Les passants ne nous voient pas. Nous sommes à nous deux un monde et ce monde est protégé par Paris.

J'ai vingt ans. La vitre de la voiture est baissée, mes cheveux fouettent mon visage et ma main tente d'attraper le vent. Je suis ivre et je ris.

Il est tard. Je cours retrouver un bien-aimé de fortune. Les talons claquent sur le pavé parisien. J'attrape la bouche de l'homme en pleine rue, je bois son désir et sa sueur, sans peur ni honte.

Je suis assise sur les marches du Sacré-Cœur avec une amie. Paris s'étale à nos pieds et nous écoute. Nous lui déclamons Baudelaire et Rimbaud comme une amoureuse à son bien-aimé et la bouteille de vin passe de main en main.

J'ai trente ans. J'ai voyagé deux mois en Chine. Je suis à Pékin, je dois prendre l'avion dans deux heures et rentrer à Paris. Je suis dans un bar, entourée d'expatriés vivant à Pékin depuis des années. Nous buvons, nous chantons, je n'ai aucune envie de prendre l'avion. Ils me mettent au défi de rester avec eux. « Tu verras, tu seras heureuse dans l'Empire du Milieu. » Ils insistent. Le défi me démange. La folie de rater volontairement mon avion aussi : affirmation absolue de la liberté, pour moi, à cette heure bien avancée et arrosée de la nuit.

D'un bond, je me mets debout, je lève mon verre et je dis haut et fort : « mesdames et messieurs, je reste. »

J'y suis restée quatre ans.

J'ai trente-quatre ans. Mes yeux suivent l'avancée lente et imperturbable d'énormes navires chargés de marchandises sillonnant le Bosphore. Je vis à Istanbul depuis un an. Je suis tombée amoureuse de cette ville mais il y a maintenant de la lassitude dans notre amour.

Ce n'est que maintenant, après plus de cinq ans de vie à l'étranger, que j'ai envie de prendre cet avion qui me ramènera à Paris.

Hâfez dans un taxi

2012 – Téhéran – Dans un taxi

Musique de variété iranienne qui me fait mal à la tête. Le chauffeur de taxi doit avoir dans les cinquante ans. Il a une barbe de quelques jours et les cheveux gris clairsemés sur le dessus de la tête. De beaux cernes sous les yeux et il fume.

Je ne dis rien. J'attends que ça passe.

Il me regarde dans son rétroviseur. Il me demande si je suis d'ici.

— Oui, je suis iranienne. Vous voyez bien, je parle persan.

— Vous avez un accent. Un accent étranger. Vous venez d'où ?

— J'ai grandi en France.

— Ah c'est ça, alors. À Paris ?

— Oui.

— Vous en avez de la chance.

— Oui mais ça n'a pas été facile. L'exil, vous savez...

— Vivre en Iran c'est infernal. Il vaut mieux être exilé que de pourrir ici. Il vaut mieux souffrir en France qu'en Iran, croyez-moi.

— Vous n'aimez pas ce pays ?

— Si je l'aime, je l'aime comme ma mère. Mais regardez autour de vous : ces connards de dirigeants nous saignent de tous côtés. Nous sommes tous à bout.

— Ça va changer, j'en suis sûre. Ça ne pourra pas durer comme ça une éternité.

— Que Dieu vous entende. Mais nous avons peur. Nous avons chez nous des barbares sanguinaires et ceux de l'Occident ne valent pas mieux. Vos parents ont quitté le pays après la révolution ?

— Sept ans après.

— Ils ont eu raison. Regardez comme tout a empiré depuis.

Il éteint la radio. Quel soulagement. Il allume une cigarette.

می خور که شیخ و حافظ و مفتی و محتسب
چون نیک بنگری همه تزویر می کنند
حافظا می خور و رندی کن و خوش باش ولی
دام تزویر مکن چون دگران قران را

— C'est un poème de Hâfez, je sais pas si vous aimez la poésie.

— J'adore la poésie ! J'ai étudié les poèmes de Khayyâm à la fac. Bon, je n'ai pas tout compris mais je crois avoir saisi l'essentiel.

— Je vais vous le traduire en langage plus simple, il dit : « Bois, car si tu as l'œil, tu verras que tous les chefs religieux sont hypocrites. Hâfez, enivre-toi, sois intelligent et heureux, mais ne tombe pas dans le piège de l'hypocrisie comme ceux-là qui ont sali le Coran. »

— Quel courage de dire ça au XIVᵉ siècle !

— Je vais vous dire quelque chose ma petite dame, la seule chose que nous avons su préserver, c'est notre poésie et c'est la seule chose à sauver de l'Iran.

Le taxi s'engouffre dans un embouteillage d'au moins quatre kilomètres sous un ciel pollué avec une chaleur étouffante, ça klaxonne de partout, ça pue l'essence, mon foulard me colle aux cheveux, mon manteau me gêne mais je suis heureuse d'être dans ce chaos infernal parce que pour la première fois de ma vie, j'ai entendu un chauffeur de taxi me réciter de la poésie.

Il était une fois

Un mot

Sans cesse répété
Étalé sur la surface de la terre
Noyé au fond des yeux
Glissant lentement sur la peau
Rythmé par les battements du cœur

Il était une fois

Ma mémoire d'enfant

Une colonne de marbre effritée au soleil
Une montagne plongeant dans la mer
Un rêve que la Lune raconte chaque nuit aux étoiles
Toujours le même

Et l'histoire tourne en rond
La musique bégaie
Le manège est rouillé
Les chevaux s'épuisent

J'ai le vertige des années

Mais je veux danser encore et encore
Sur ce refrain usé et monotone

Qui inlassablement répète
Un mot

Que le vent soulève
Comme le voile des femmes
Quand elles marchent et se perdent dans les
    ruelles étroites de ma mémoire
Souffle
souffle
Vent de ma vie
Souffle
souffle
Et fais danser les souvenirs

Je suis une guirlande de mots accrochée à un
    arbre qu'un enfant montre du doigt.

Table des matières

DEUXIÈME NAISSANCE

TROISIÈME NAISSANCE